JUL 10

D0343472

PRINCIPIOS PARA
VIVIR A TODA MADRE

Crecimiento personal a la mexicana

Jorge Cuevas

THIS BOOK IS THE PROPERTY OF
THE NATIONAL CITY PUBLIC LIBRARY
1401 NATIONAL CITY BLVD
NATIONAL CITY, CA 91950-4401

Diseño de portada: Ramón Navarro
Diseño de interiores: Ma. Alejandra Romero I.
Ilustraciones de interiores, fotos de portada y de autor:
Roberto Hernández Báez

© 2008, Jorge Cuevas

Derechos reservados

© 2007, Editorial Diana, S.A. de C.V.
Avenida Presidente Masarik núm. 111, 2o. piso
Colonia Chapultepec Morales
C.P. 11570 México, D.F.
www.diana.com.mx

Primera edición: mayo de 2008
ISBN: 978-968-13-4386-6

Ninguna parte de esta publicación, incluido el diseño de la
portada, puede ser reproducida, almacenada o transmitida
en manera alguna ni por ningún medio, sin permiso previo
del editor.

Impreso en los talleres de Litográfica Ingramex, S.A. de C.V.
Centeno núm. 162, colonia Granjas Esmeralda, México, D.F.
Impreso y hecho en México – *Printed and made in Mexico*

THE NATIONAL CITY PUBLIC LIBRARY
1401 NATIONAL CITY BLVD
NATIONAL CITY, CA 91950-4401

ÍNDICE

Para Yazmín,
una esposa a toda madre

Estoy viendo un árbol de Navidad y me imagino a aquel par de gemelos que esperaban ansiosamente los regalos que el Niño Dios les traería.

Un gemelo era muy pesimista, el otro muy optimista.

El primero en levantarse fue el pesimista, porque la duda lo mataba. Era mejor desilusionarse del regalo lo más pronto posible.

"Una bicicleta", dijo con amargura, "¡una pinche bicicleta!"

"¿Por qué Niño Dios?, ¿por qué me traes una bicicleta? Si bien sabes que no sé andar en bici, que en mi ciudad los carros no respetan a las bicis y que además es muy peligroso… ¿qué no has escuchado cuántos accidentes pasan en bicicleta?"

El niño se fue. Y toda su vida continuó así. Afirmando que el mundo era una porquería y encontrando siempre las razones para demostrarlo.

El niño optimista se levantó un poco más tarde. Tenía confianza en que esa Navidad el Niño Dios le traería algo fuera de serie...

Y así fue.

A un lado del nacimiento encontró una mierda colosal...

¡Un cerotón!

Un pedazo de caca de unos 50 centímetros de diámetro.

El niño gritó y festejó lleno de júbilo:

"¡Gracias, Niño Dios!"... "Me has traído un caballo".

Y se fue a buscarlo al jardín.

¿Sabes por qué?

Porque el optimista ve caca y sabe que hay caballo escondido.

Jorge Cuevas

El pesimista ve un caballo y se atormenta pensando en la cantidad de caca que tendrá que limpiar.

El optimista sabe que el agua siempre busca su nivel, por eso fluye con la vida, porque aunque a veces no puede comprender lo que sucede, se deja guiar y sabe que todo pasa por algo.

El optimista sabe que las desgracias no existen, que sólo son experiencias difíciles de comprender. Que a fin de cuentas todo es una enseñanza…

Y tal vez puedas preguntarte ahora:

¿Qué mierda puede estar pasando por tu vida?

Porque la idea principal de este libro es que encuentres a tu caballo escondido. Tal vez la mierda es que tu empresa no está pasando por el mejor momento. Y el caballo escondido será la oportunidad de aprender, madurar y salir fortalecido. A lo mejor la mierda es que tienes un problema de salud. Y el caballo escondido es que aprenderás a valorar la vida y a cuidar tu cuerpo. También puede ser que creas que la mierda es que quedaste embarazada o que te divorciaste o que tus hijos adolescentes te traen loco o que tu suegra te tiene entre ceja y oreja o que te quedaste sin chamba, sin novia o sin dinero.

No importa cuál sea la mierda por la que estés pasando, ni qué tan inmensa parezca. Estoy seguro de que hay un caballo escondido, una lección, un regalo, una posibilidad de crecer.

Y de eso trata este libro, de crecer...

A través de siete principios a la mexicana, los cuales te ayudarán a vivir la vida como viene, a dejar de querer cambiar al mundo y, mejor aún, a dejar de querer cambiarte a ti mismo. Porque no se trata de cambiarte sino sólo de aceptarte.

Cuando te aceptas, tu potencial se libera.

Porque de hecho ya eres un chingón... Me pregunto si tú te la crees.

Porque la vida es una chingonería... y no sé en qué momento tus ojos te permitirán volver a verlo.

Deseo que **tú** disfrutes tanto de esta lectura, como **yo** disfruté escribiendo.

Te mando un abrazo

Espero tus comentarios, mentadas de madre, besos y aportaciones a:

locos@jorgecuevas.com

Jorge Cuevas Dávalos
25 de diciembre de 2007

EL PODER CURATIVO DE UNA
MENTADA DE MADRE

"Creo que si no pronunciara nunca más una mala palabra, moriría de tristeza o reventaría de odio"...

RAMÓN DÍAZ/La Habana, Cuba

¿Qué piensas de una mentada de madre?

La mayoría de las personas que conozco la toman como algo malo, un insulto, una *mala palabra*, algo negativo.

Pero ¿por qué no pensar diferente? ¿Por qué no ver un "chinga a tu madre" como un bálsamo, como una frase curativa, un mantra, un rezo, un halago o hasta una oración?

Imagina que este libro es un manual de autocuración y sigue las in dicaciones.

Repite en voz alta:

Chinga a tu madre.

Y nota lo que pasa contigo.

Toma conciencia de cómo estás.

Y repite en voz más alta:

¡Chingas a tu madre!...

Ahora piensa en alguna persona con la que te sientes frustrado, inconforme, molesto; o más fácil, piensa en alguien a quien por alguna razón no le pudiste mentar la madre cuando lo necesitaste.

Pon una pantalla en tu mente, ve a esa persona enfrente y grita con toda tu fuerza:

¡Chingas a tu madre!*

Vuélve a decirlo. ¡Vamos!, tres veces más.

¡CHING@$ A TU %@&!E!

¡CHING@$ A TU %@&!E!

¡CHING@$ A TU %@&!E!

---

* Procura hacer este ejercicio en donde nadie te escuche.

Jorge Cuevas

Toma conciencia. ¿Cómo te sientes?

Si aún estás enojado, grítalo 2, 3 o1 0 veces más hasta que tu respuesta sea:

¡Me siento liberado!

El *chinga a tu madre* tiene un poder altamente liberador, es catártico. Te permite sacar estrés y enojo, odio y toda clase de energía acumulada en tu interior. Ayuda a que te sientas tranquilo y tu cuerpo esté relajado. Muchos creen que *chingas a tu madre* es una maldición, pero bien dicho, con la energía necesaria y en el momento correcto, es una bendición.

Margarita Espinosa dice:

> En nuestra lengua, las groserías poseen una carga semántica única, la cual no lograríamos expresar si las reemplazáramos con alguna otra locución. Asimismo, las groserías representan una válvula de escape para la tensión por la que pasamos. Al insultar descargamos a tal grado nuestro enojo, nuestra impotencia, nuestro dolor, que se podría decir que el insulto puede cumplir también una función catártica en el ser humano.

16
17

Mientras que Eloy Machado comenta:

> Las llamadas malas palabras ocupan esa zona del lenguaje a donde todavía se puede recurrir para buscar la intensidad, la sensualidad, la identidad y la violencia. Las otras zonas de la lengua, ya neutralizadas por el uso normativo, pierden gradualmente expresividad.

No es lo mismo decir *vete a volar* que *chingas a tu madre*, ¿verdad?, no sabe igual. Y si un "chingas a tu madre" es catártico, ¿tú cuál piensas que es el salón de terapia más grande de México?

Pues el Estadio Azteca... ¿no?

Y cualquier estadio. El proceso consiste en lo siguiente:

Miles de aficionados le mientan la madre a un sujeto vestido de negro llamado árbitro, quien necesita tener un alto grado de madurez emocional para no engancharse, sino hasta reírse de la bola de babosadas que inventa el público con tal de sacar la frustración acumulada en la semana. También la arena de la lucha libre es un magnífico lugar.

¿Te imaginas cuántas cosas pasarían si no existiera este desahogo?

Hoy en día, la influencia de las barras en los estadios ha hecho que la violencia se apodere del futbol. Pero no son las mentadas de madre las que perjudican, sino los actos violentos. Porque igual, en México muchos estadios siguen siendo lugares seguros de convivencia familiar y hay una gran cantidad de hermosas mentadas de madre.

Mucha gente se asusta de las "malas palabras", pero si expresáramos lo que sentimos tendríamos menos necesidad de cometer actos que sí traen consecuencias negativas. Las personas que no expresan su ira, se la tragan, ¡implotan!, o sea, mientan la madre hacia adentro, y el enojo, en vez de encontrar su camino natural hacia el exterior, se estrella contra su organismo. Son ollas exprés que no dejan que la energía salga, hasta que de plano truenan.

Entonces, ¿qué hacer con el odio?

De entrada, no tragárnoslo. Porque el enojo guardado se vuelve veneno, se va secando haciendo que la persona pierda su energía vital. Las sonrisas se vuelven forzadas, no pueden salir naturales cuando los músculos faciales acumulan energía negativa y se ponen duros.

Cuando están enojadas, algunas personas "aparentan" estar sonriendo, pero esas sonrisas son máscaras que esconden la ira en lo más profundo de su corazón, y en cuanto tienen oportunidad, buscan la manera de chingar al de enfrente, pero no con una inofensiva mentada de madre, sino con actos que a veces van disfrazados de bondad. A esto le llamamos **violencia pasiva**.

Con la cara te sonrío y con mis actos te chingo.

Por ejemplo: Alberto es un gerente que jamás se anima a expresar su encabronamiento contra Sebastián, un empleado que le ha faltado al respeto. Pero en cuanto tiene la oportunidad, Alberto lo bloquea para que no lo asciendan y lo sabotea para que no crezca. En lugar de hablar de frente, ser directo y solucionar las cosas, se lo chinga por debajo del agua. Por eso digo: ¡vale más una mentada de madre a tiempo que una venganza en cualquier momento!

En lo personal me ha sido muy útil esta técnica.

Mira, hace unos meses cometí un grave error: Judith, una promotora del norte del país, me pidió fecha para una conferencia que le estaba vendiendo al gobierno y yo se la autoricé. Dos horas después me di cuenta de que acababa de cometer una pendejada mayúscula, porque esa fecha ya la tenía vendida, contratada y pagada en San Luis Potosí. Llamé por teléfono a Judith para decirle que había cometido un error con la fecha.

Ella se molestó muchísimo y me dijo que iba a hablar con su cliente para ver si se podía hacer algo. Ya por la noche le volví a marcar y le pregunté cómo se sentía, me contestó que estaba muy enojada. Yo le dije que eso era poco, que debería estar encabronadísima, que lo que yo había hecho era una auténtica burrada y que tenía el derecho de mentarme la madre.

Le dije muy serio "Anda Judith, miéntame la madre, te va a hacer bien".

—Jorge: ¡chingas a tu madre! —salió de su ronco pecho.

—¿Cómo estás Judith? —le pregunté.

—Más tranquila… relajada.

—Ahora sí, dime… ¿cómo podemos solucionar el asunto?

—Ya está solucionado Jorge, mi cliente aceptó cambiar la fecha. Lo único que necesitaba era desahogarme para seguir trabajando con el mismo entusiasmo.

Pensé que ya tenía una fórmula infalible para limpiar el alma.

Que el puro hecho de decir "chinga a tu madre" haría que las personas vivieran más felices, dejando que a su ira se la llevara el viento.

Pero me faltaba un elemento.

Lo pude comprobar cuando Karina* estaba encabronada conmigo por... no me acuerdo qué pendejada había hecho yo.**

La cosa es que cuando me llamó por teléfono y comentó que estaba molesta, yo me negué a aceptar mi responsabilidad en el asunto, pero al colgar me di cuenta de que lo único que había hecho era justificarme. Decidí llamarla y cambiar mi actitud defensiva. Y antes de ofrecerle una disculpa, le pedí que repitiera tres veces: "Jorge, chingas a tu madre".

Lo hizo, no sin antes poner un montón de pretextos y una buena dosis de culpa, porque no está habituada a decir majaderías. Además sólo la repitió como merolico, no le puso pasión ni tomó conciencia de lo que estaba haciendo.

El resultado de la mentada de madre fue nulo.

Simplemente, en Karina no paso nada, no se liberó.

Mi teoría había fallado.

No basta con decir
***chingas a tu madre*,**
hay que hacerlo con excelencia.

---

* La directora comercial del despacho Evolución Coaching, S.C.
** Cuando yo hago las pendejadas no me acuerdo qué pasó.

Veamos cuáles son las condiciones para que una mentada funcione y tenga resultados liberadores.

1. "Chingas a tu madre" será dicho con conciencia, deberás darte cuenta de lo que sientes, de lo que pasa contigo y de a quién va dirigida la mentada.

   No te engañes a ti mismo. A veces le mientas la madre al del carro de al lado, pero el coraje es contra tu jefe. O peor aún, a veces arremetes contra tus hijos, cuando el coraje es contra tu esposa.

2. Es importante tomar la precaución de no mentársela a quien no esté preparado para escucharlo; en ese caso, mejor ve al estadio y dile al árbitro todo lo que querías decir imaginándote que es tu jefe, tu esposo o tu padre.

3. Si deseas mentársela en persona y directamente a quien le corresponde, dale a leer este capítulo y pídele su autorización. Si no acepta, mejor dile que estás enojado o molesto y resérvate la mentada. O bien, ráyasela, pero atente a las consecuencias.

4. Para que una mentada de madre dé resultado, deberá ser dicha con pasión. Tomando toda la fuerza desde las entrañas.

ADVERTENCIA:

Si sientes culpa por decir malas palabras, consulta el capítulo "Jaladas culturales"; la culpa es una de ellas y no te permite crecer.

CONSEJO ADICIONAL:

Descarga todo tu encabronamiento hasta que te vacíes; cuando la descarga se hace a medias, andas todo el día de genio; cuando se hace en forma completa, una sonrisa espontánea y libre brota de ti. (Es como quedarse a medias y no llegar al orgasmo.)[1]

EFECTOS SECUNDARIOS:

El abuso en las mentadas de madre puede exacerbar el machismo. ¿Por qué no mejor una mentada de padre?

Hay quien opina que una mentada de madre es un insulto machista propio de nuestra cultura; para evitar dicha situación, puedes cambiarla por un "chingas a tu padre". O mejor aún, altérnalas. Por ejemplo, a los hombres diles "chingas a tu madre" y a las mujeres "chingas a tu padre", así colaborarás con la equidad de género.

---

[1] A excepción de que practiques el *Tao del amor y el sexo*.

RESTRICCIONES:

El poder curativo de una mentada de madre es muy efectivo con las personas que están reprimidas, ejercen violencia pasiva y tienen problemas para expresar sus sentimientos de enojo.

No tanto para las personas explosivas que suelen reventar a la menor provocación y que seguido se meten en problemas por hocicones. Ellos necesitan primero trabajar en el autocontrol.

Por ejemplo, hoy en día, muchas personas descargan su ira mientras manejan, mentándosela al de a un lado. Efectivamente descargan coraje, pero corren el riesgo de que les rompan el hocico.

Quizás tú quieras mentársela a tu jefe, pero no estoy seguro de que él esté preparado para escucharlo, por lo que te quedarías sin trabajo y el precio sería muy alto.

O sea que, para que la mentada de madre traiga más beneficios que consecuencias negativas, la restricción es que debe hacerse sólo en un espacio adecuado y con personas que tengan la madurez para aceptarla.

Si se cumple con todos estos requisitos, consejos y restricciones, indudablemente la mentada de madre dará resultado.

Un lugar donde pude comprobar por primera vez su poder sanador fue en una empresa a la que le doy cursos. Les vendé los ojos a todos, puse música, y gerentes, personal administrativo y vendedores bailaron y cantaron *Chinga tu madre*, de Molotov, hasta el agotamiento. Sólo entonces el grupo estuvo en condiciones de empezar a integrarse, a lavar la ropa sucia y trabajar con entusiasmo.

Creo que fue muy importante hacer este ejercicio con los ojos vendados, porque no todas las personas están listas para aceptar esto y otros se sienten inhibidos si los están viendo.

Al final de la dinámica, el contralor de la empresa me dijo que jamás se había sentido tan liberado, que sintió que 20 años de carga se fueron y que por fin podía entender por qué a sus hijos les gustaba tanto Molotov. Que jamás volvería a juzgar la música, porque ahora descubría que toda la música tiene un sentido y es adecuada en algún momento y lugar.

Yo le respondí que la música es una forma de expresión y por lo tanto es válida. Otra cosa es que en gustos se rompen géneros, pero entre más géneros somos capaces de disfrutar, más completos estamos. La música clásica es hermosa, pero si no soy capaz de disfrutar otra cosa, mi espectro está muy cerrado. Los Chemical Brothers o Linkin' Park son a toda madre, pero qué pasa si no me permito escuchar también baladas o banda o grupera o jazz o rock.

A veces oímos cierta música por *status*, para que digan que somos conocedores o fresas. Otras porque vivimos atrapados en el tiempo, oímos sólo a Los Beatles y nos vestimos como *hippies*, o sólo escuchamos música ochentera y nos ponemos un fleco al frente. O sólo música electrónica, porque ésa es la que escuchan nuestros amigos y queremos ser aceptados, pero si crecemos como humanos seremos capaces de darnos cuenta de que toda la música es hermosa.

En el caso de Molotov, le expliqué al contralor que para mí son unos genios, porque gritar un "chinga a tu madre" suele ser curativo, pero cantarlo y bailarlo es una auténtica máquina de milagros.

El canto y la danza son curativos. Danzarle al amor, a la alegría y también a la tristeza, al miedo o al odio. Cuando danzamos, las emociones encuentran su lugar y se van por donde tienen que hacerlo.

Se van para que una nueva emoción llegue.

Y se van para que crezcamos y encontremos la serenidad.

El odio es cegador; mientras no lo expulsamos de nuestro cuerpo no nos permite ver con claridad.

¿A cuántas personas que amas no les puedes expresar tu cariño porque el odio que traes en las venas no te permite hacerlo de forma genuina?

¿Cuántas personas están resentidas contigo y no les has dado la oportunidad de expresar sus sentimientos?

Un sonoro y autentico *chingas a tu madre* no es el único camino, pero sí una opción efectiva y muy mexicana, por eso es la opción que planteo en este libro. Si fuera crecimiento personal a la española te pediría que gritaras "gilipollas" y si fuera a la argentina, "¡boludo!", o a la gringa, *"¡fuck!"*, pero honestamente hay que sentirnos orgullosos. La expresión "chingas a tu madre" tiene más fuerza, calor, significado y trascendencia.

Por otro lado, la palabra chingar es muy mexicana. Aunque en otros países se utiliza, no hay otro lugar donde el término tenga tantas aplicaciones ni consecuencias. En algunos países como Uruguay, Argentina o Chile, chingar quiere decir errar.

"Chingarle a la pelota" significa que la quisiste patear y no le pegaste, pateaste al aire. En República Dominicana se dice signar, no chingar, y tiene el único significado de tener un acto sexual. En Puerto Rico también; un día yo le dije a un amigo en San Juan que era un chingón y él se atacó de la risa. Al decirle que era muy chingón, me refería a que era bueno para hacer negocios, y él me explicó que para los boricuas alguien chingón es alguien que tiene muchas relaciones sexuales. Muy cogelón, pues.

En España sí consideran que chingar se refiere a follar (tener relaciones sexuales), pero no lo utilizan regularmente. Para ellos es una palabra más bien mexicana. Y si te fijas, en nuestro México chingar tiene muy diversos y ricos significados, ¡un chingo de aplicaciones!, aquí van algunas:

Ser chingón: significa ser una persona sobresaliente, competente en determinada actividad; por ejemplo: "Juan es un chingón para los negocios".

Una chingadera: puede ser una cosa mal hecha: "esa comida es una chingadera", pero también puede ser algo que te hacen y te decepciona: "Me hizo una chingadera, se acostó con mi novia".

Chíngate una chela: dícese del acto de tomarse una deliciosa cerveza.

Una chinga: se refiere a realizar un arduo trabajo. Por ejemplo: "Fue una chinga capturar toda la nómina".

Vete a la chingada: es mandarte muy lejos, a volar, pues. En varios estados de la República Mexicana hay ranchos que tienen como nombre "La Chingada", pero sólo los conozco por fuera… ¿eh?

Un chingo: quiere decir *mucho*. Por ejemplo: "Te quiero un chingo".

Un chingamadral: es muchísimo más que un chingo. Por ejemplo: "Había un chingamadral de personas en la manifestación".

Te voy a chingar: se refiere a que te van a hacer algo que te puede ser perjudicial. Puede ser pegar, lastimar, joder.

Me chingaste: se refiere a que me ganaste. Por ejemplo: "Me chingaste en el dominó".

Chingaquedito: se refiere a una persona que está molestando poquito, pero todo el día.

Otras expresiones son:

Ya no chingues: "Ya no me molestes".

Un chingadazo: un golpe que puede ser físico o psicológico: por ejemplo, en un choque, una persona puede decir: "Qué chingadazo se dieron esos carros"; pero también puede decir: "Las palabras de mi jefe fueron un chingadazo a mi ego".

Chíngale: apúrate, aplícate a escribir más y mejor.

Se lo chingaron: se lo robaron, se lo fregaron o jodieron.

Y por supuesto, chingar quiere decir también coger. Aprovecho este paréntesis para explicar a nuestros amigos españoles que en México coger es follar, igual que en otros países fifar, echarse un polvo o, en pocas palabras, tener relaciones sexuales.

El problema, mis estimados amigos españoles, es que cuando ustedes visitan México no dejan de decir que "cogieron el camión", que "cogieron al gato", que "cogieron un juguete" y quien no entienda esta diferencia cultural pensará que, además de degenerados, son unos grandes atletas sexuales, porque todo el día están cogiendo. En un proceso de sana adaptación les recomendaría usar la palabra *tomar*.

"Tomar una taza."

"Tomar al gato."

"Tomar el juguete."

Muchas gracias.

Volviendo al tema, si chingar es fornicar, "chingas a tu madre" significa "ten relaciones sexuales con tu madre. Pero no te la tomes tan personal. Si te pones a pensar, la persona que te dice "chinga a tu madre" está pensando en todo menos en tu mamá; es una expresión de coraje, de odio, un insulto. En nuestro país muchas personas se lo toman a pecho y los enciende sobremanera. Sin embargo, ya lo dice nuestra sabia frase: *"Las mentadas de madre son como las llamadas a misa: para quien quiera ir"*.

Lo que yo quiero rescatar es la fonética. Escucha cómo suena la frase "¡chingas a tu madre!"

Tiene fuerza, es contundente, es hermosa.

Tenemos motivos para sentirnos orgullosos de la expresión, porque es cien por ciento mexicana y cuando los extranjeros la conocen les encanta cómo suena; de inmediato experimentan su poder liberador.

¡Chingas a tu madre..!, de México para el mundo. Una de nuestras mejores frases con calidad de exportación.

De cualquier forma, si a ti no te gusta la frase, toma lo básico:

Es importante que encuentres el espacio y el momento adecuados para que expreses tus sentimientos de enojo, lo contrario hace daño.

Quítate la idea de que te tienes que tragar tus corajes.

Expulsa hasta la última gota de enojo de tu cuerpo para que vivas libre, porque una vez que saques todo tu odio descubrirás que todo era un fantasma, que no es cierto que estés enojado con papá o mamá o con tu jefe o con el gobierno, con Dios o con la vida.

El único enemigo que has tenido en la vida eres tú mismo, y eres el único al que hay que perdonar.

Ve con otros ojos.

Si te perdonas podrás ser comprensivo contigo mismo.

Te aceptarás.

Te darás permiso de amar.

Y por qué no, de liberar un sabroso "chingas a tu madre" cuando tu cuerpo te lo pida.

NO SEAS "CACA SECA". ¡SÉ GENEROSO!

"El dinero es como un brazo o una pierna: se usa o se pierde"

<small>Henry Ford</small>

Una persona caca seca es alguien codo, agarrado, miserable. Estreñido, pues.

Y no sólo es codo con el dinero, es codo con la vida, con la amistad, con el sexo, con el trabajo, con la diversión y el amor. El caca seca da a cuenta gotas y siempre esperando algo a cambio.

Una señora caca seca le reclamaría a su hijo: *"¡Así me pagas después de todo lo que he hecho por ti!"*, porque no hace nada gratis. Hasta a sus hijos les cobra por amarlos.

Si un caca seca va a un restaurante —lo cual no es muy probable, porque aunque tenga dinero preferirá ahorrárselo— estará más preocupado por cuánto cuestan los platillos que por descubrir a qué saben.

Técnicamente, el caca seca caga poco y hace una popó negra y agrietada, como de chivo.

No paga impuestos —a excepción de que tenga demasiado miedo de que Hacienda lo cache—, no paga aguinaldos —cuando mucho, lo que la ley estipula— y jinetea el dinero.

Si vas a un restaurante con cinco amigos y quedaron de pagar cada quien lo suyo, lo más sencillo es dividir la cuenta entre cinco; tal vez te toque pagar un poco más o un poco menos de lo que comiste. Pero el caca seca no lo permitirá, él tomará la nota, revisará sus consumos y peleará hasta el último peso con tal de no pagar un clavo más de lo que comió. El caca seca es cuenta chiles.

Ser caca seca no es cuestión de tener o no tener dinero, es una forma de vivir. Hay personas pobres viviendo en la abundancia y ricos miserables.

Ser caca seca es una actitud mezquina ante la vida, no un *status* socioeconómico.

Una viejita tenía mucho dinero, a lo largo de su vida había logrado amasar una fortuna. Compró vecindades y casas que rentaba.

Era una viejita de 80 años, millonaria... Pero caca seca.

Cuando sus nietos iban a visitarla les daba de comer frijoles acedos y tortillas viejas. Y era lo que ella misma acostumbraba comer.

¿Sabes por qué? Porque el caca seca es tacaño con los demás, pero aún más consigo mismo.

Tiene un trabajo, le empieza a ir bien, pero sólo usa el dinero para ahorrar de una manera extrema, hasta que se vuelve estreñido. Es sumamente codo, no dispara ni en defensa propia.

Un esposo caca seca es tacaño para hacer el amor. Sólo piensa en el coito, no le interesa poner velitas, decir un poema erótico, ni crear un preámbulo mágico. El caca seca va al grano, es enfermizamente práctico y dice *"si de lo que se trata es de coger ¿para qué tanta payasada?, es un gasto excesivo"*.

Un estudiante caca seca presenta unos trabajos pinchurrientos a los que invierte la menor cantidad de tiempo posible.

Un empresario da lo menos que puede y su gente le paga con un miserable desempeño. Organiza una posada en la que da a sus empleados una sopa *Maruchan* con un *Frutsi* y todo el año les recuerda que se ha esforzado para darles lo mejor.

Si es padre de familia, es codo hasta para dar abrazos.

Si es empleado, trabaja ocho horas y no da ni un minuto adicional. Se preocupa por cumplir, pero jamás da un extra sin cobrarlo.

Lo curioso es que la vida le corresponde, porque el caca seca no tiene buena suerte. El caca seca da lo menos que puede, o sea una mierdita de chivo, pero recibe lo mismo.

Se queja de su mala suerte sin saber que él la ha provocado.

Entonces te puedes preguntar...

**¿Soy yo un caca seca?
¿He dado lo mejor de mí
en mi trabajo? ¿En mi
relación de pareja?
¿Me he entregado o me he quedado
sin dar lo mejor de mí?**

Y aquí lo importante es:

**¿Qué puedes hacer para crecer?...
¿Cómo dejar esos hábitos?
¿Cómo atraer la generosidad
a tu vida?**

Por eso te quiero compartir la historia del banquero y la viejita.

Todos los días, a las diez de la mañana, llegaba al banco una viejita y depositaba diez mil pesos. La señora rara vez retiraba un centavo.

Por supuesto que el gerente la trataba como a una diosa: *"Buenos días madame, qué gusto verla... bienvenida"*. Casi le ponía una alfombra roja cada que entraba.

El gerente cada día tenía más curiosidad: ¿A qué se dedicará esta señora? ¿Lavará dinero? ¿Sus hijos le darán? ¿Será tan rentable pedir limosna?

Una mañana ya no aguantó la curiosidad.

—Disculpe mi indiscreción, *madame*, ¿a qué se dedica usted?

—Corro apuestas y siempre gano —le contestó con una sonrisa socarrona.

El gerente no le creyó. Todas las mañanas comenzó a hacerle la misma pregunta y la señora le respondía siempre igual:

—Corro apuestas.

En una ocasión, después de la habitual respuesta, el gerente protestó.

—No le creo, me está usted mintiendo.

—Pues no sé si me creas hijo, pero corro apuestas y siempre gano.

—No es cierto.

—Pues sí es cierto, hijo. ¿Cuánto apuestas?

El gerente se quedó callado, pero al siguiente día fue la señora quien le propuso:

—Hijo, como te he dicho, yo me dedico a correr apuestas y siempre gano, y hoy te lo voy a probar. Mira, te apuesto cinco mil pesos a que tú tienes los testículos cuadrados.

La seguridad de la señora puso casi a dudar al gerente, quien hizo memoria y recordó que no tenía tan peculiares pelotas (que de ser cuadradas, ya no serían pelotas, en lugar de eso tendríamos que decir: "Mira ese muchacho, ¡qué cubos tiene para hablar así!")

La cosa es que el gerente definitivamente aceptó la apuesta.

—La única condición es que lo tengo que comprobar aquí en tu escritorio y con mis propias manos—, agregó la señora, a quien ya le brillaban los ojitos.

Al gerente le daba pena, pero pensó en lo fácil que iba a ganar cinco mil pesos y su vergüenza se esfumó.

—Casaditos hijo —ordenó la viejita. —Saca tu dinero, aquí está el mío.

El gerente mandó pedir el dinero y ella sacó sus lentes de aumento.

El gerente se bajó los pantalones, la viejita sonrió más gustosa que nunca y con mirada placentera se agachó y comenzó a explorarle los testículos.

Llena de gozo, le dijo:

—Hijo, efectivamente, no los tienes cuadrados, son más bien ovaladitos.

La señora le pagó.

Sonriente y con sus ojos brillando, la viejita estaba por retirarse, pero el gerente la detuvo:

—Señora, ya gané mi apuesta, pero ahora sí dígame, ¿a qué se dedica usted?

—¡Ah!, pero qué necio eres, hijo. ¿No te dije que corro apuestas y siempre gano?

—Pues sí, pero me está mintiendo.

—No hijo... Yo corro apuestas y siempre gano.

—No es verdad. Hoy perdió cinco mil pesos.

—No, hijo, gané veinte mil.

La señora volteó hacia el enorme cristal que daba a la calle y concluyó:

—¿Ves a esas cinco personas que están allá afuera? Le aposté cinco mil pesos a cada una a que le agarraba los huevos al gerente del banco.

La señora conocía bien la fórmula: dale a ganar a otros y tú también ganarás.

Sé generoso.

La señora disfrutó de los testículos del gerente, le dio a ganar cinco mil y ella ganó veinte mil. ¡Eso es hacer negocios!

Pero el caca seca tiene otra teoría. Cree que gastando menos va a tener más... Pero no funciona, porque la miseria atrae la miseria.

Una persona generosa da un beso porque siente ganas de darlo. No espera otra cosa.

El caca seca se pregunta: "¿Cuál sería el costo-beneficio de darle a mi esposa un beso apasionado?

Si la inversión vale la pena, entonces la besa.

El caca seca no da, intercambia, casi siempre con propuestas gandallas.

No se ríe de la nada, porque cree que se necesitan motivos para ser feliz. No sabe que hay cosas gratis como la risa. Para él, todo cuesta.

Por eso la señora generosa es mi gurú, porque ella piensa diferente: "Dale a ganar a otros y vas a ganar tú".

Entrégate y el solo hecho de dar ya será una recompensa, y como el amor genera amor, nunca te hará falta nada.

Porque el dinero es sólo un ejemplo. El verdadero problema del caca seca es el amor.

Porque el caca seca guarda todo su amor en el banco creyendo que genera intereses.

El caca seca es incapaz de "vivir el tiempo inútil", ese tiempo mágico que no tiene nada que ver con producir, ese tiempo en el que podemos estar echando la flojera, leyendo una novela, compartiendo un café o un tequilita. No conoce el inigualable placer de leer cosas inútiles, apoltronado en el wc, haciendo un hermoso, consistente y espumoso cerote café, símbolo de salud y abundancia.

Porque el caca seca no lee para disfrutar, sino para averiguar cómo ser más productivo, no hace nada por placer, ni siquiera tiene sexo, lo hace si es conveniente, si le ayuda a mitigar el estrés o a controlar a su pareja.

¿A poco no conoces personas que no saben descansar y que se sienten culpables si no están trabajando?

Además, los caca seca no tienen amigos, porque más bien son utilitarios y consideran a las personas fichas de un juego de ajedrez que les ayudan a lograr sus objetivos.

Si no eres caca seca, de todas formas ten cuidado, no creas que se nace caca seca; tu experiencia de vida, y sobre todo el miedo, son los factores que van haciendo que te aprietes.

Imagina que te cuesta mucho trabajo ganar dinero; corres el riesgo de apegarte demasiado a él por miedo a perderlo, y así te vuelves caca seca.

Lo paradójico es que el caca seca es una persona que tiene mucho miedo de la pobreza y termina viviendo como pobre para evitarla.

Es importante tomar precauciones, porque ésta es una epidemia que se propaga por todo el mundo. Una epidemia de robots sin vida que trabajan, pero que no viven.

Sí. Ser caca seca es contagioso. Expande la miseria en su trabajo y en su hogar.

Sólo piensa en lo que sucedería si te casas con un caca seca... ¿qué pasaría?

Te contagias o te vuelves loco.

Porque descubrirás lo que es vivir en la miseria emocional.

¡No podrás ni llorar a gusto!

El caca seca te preguntará: "¿Por qué lloras?" Tú le dirás que porque estás triste, y él te preguntará cuál es el objetivo de estar triste. No entiende que estás triste porque sí.

Si te ríes, cuestionará por qué te ríes, ¿qué utilidad tiene reírse? Y la risa se te va a acabar mientras le explicas que te ríes porque te da la gana, porque la vida es a toda madre o porque es de la fregada.

No habrá cenas si no es tu cumpleaños ni detalles si no es Navidad. Y eso si te va bien, porque un caca seca extremo no te hará regalos ni en Navidad, mucho menos detalles en tu cumpleaños. Tendrá mil excusas, dirá que él no quiere fomentar el consumismo, pero no le creas, es sólo un caca seca, porque si fuera por no fomentar el consumismo te hubiera escrito una carta o preparado una cena con sus propias manos o algo mejor y sin gastar dinero. Pero el caca seca no hace nada, porque es más codo con su energía que con el dinero. Por el contrario, una persona generosa te dará una sorpresa cualquier día, no importa si tiene o no dinero. Porque usará su creatividad para sorprenderte y vivir un momento único. ¡Sin gastar un solo centavo! Porque intentar sorprenderte es arriesgarse, la vida es riesgo y vivir en el riesgo te hace crecer. El problema es que el caca seca tiene miedo de equivocarse, de cagarla, pues (por eso es estreñido).

Vive buscando la seguridad, midiendo cada movimiento, cada gasto de dinero, amor o energía, procurando usar lo menos posible y sacarle la mayor rentabilidad.

Pero se estanca, porque tú y yo sabemos que se aprende cagándola. Cada error es una oportunidad de aprender, y las personas más felices no son las que se han equivocado menos, sino las que la han cagado más, pero han aprendido algo. A eso se le llama experiencia.

Pero ¿cuál es el secreto para no ser caca seca?

Soltar, desprenderte. De todas formas nada es tuyo, todo es prestado.

La medicina es la generosidad.

Ser generoso contigo y con los demás.

Sé generoso con la vida porque ella será igual contigo.

Las personas generosas saben que el dinero tiene que fluir, no tienen miedo de soltarlo.

Las personas caca seca retienen todo... ¡todo!

Eso es a lo que se le llama apego.

Se apegan a las cosas.

Por eso es fácil identificar a un caca seca, porque no ha pintado su casa en treinta años, tiene su cuarto lleno de tiliches y cosas rancias que ya no usa, y su clóset estará lleno de ropa vieja, de la que tiene miedo de desprenderse. Pero todo es cuestión de cambiar de paradigma.

Cambiar el paradigma de la seguridad por el del riesgo, y el de la miseria por la generosidad.

El caca seca vive buscando la seguridad.

Compra seguros de vida, de gastos médicos, paraguas, alarmas y guardaespaldas, no sale de casa sin un botiquín.

Pero lo que no sabe es que el mundo funciona diferente. Que la seguridad no existe.

La sabiduría de la inseguridad, diría Allan Watts, consiste en vivir en el riesgo, fluir, entender que todo se transforma y que el crecimiento no consiste en retener las cosas, sino en permitir que la energía fluya. Por supuesto que el otro extremo del caca seca sería ser "caca suelta". O sea, un comprador compulsivo que no sabe contenerse y que anda tirando su energía por todos lados.

Pero el remedio para no ser caca seca no es convertirte en un caca suelta. El remedio es perderle el miedo a la vida. Ser generoso con ella y vivirla entregando el cien por ciento de ti en todo lo que haces.

Si eres estudiante: haz los trabajos con entrega, que no te importe si los demás no lo hacen así.

Si eres padre: pon toda tu energía en cada abrazo.

Si eres deportista: así vayas ganando 3-0 o perdiendo 5-0, ¡entrégate!

Si eres empresario: haz que tus empleados estén felices de pertenecer a tu organización. Porque una empresa de primer nivel tiene gente de primer nivel, y en ella se les paga y trata como a personas de primer nivel.

No escatimes en besos, abrazos, euforia, llanto, alegría. Puedes repetirte una y otra vez:

"Soy generoso hasta para cagar".

Este mantra mejorará tu vida y tu digestión.

Había un concurso de cosecha y don Laureano llevaba más de siete años siendo el campeón. Esto era tan impresionante que los medios de comunicación se enteraron y fueron a hacerle una entrevista.

"¿Cuál es su secreto?", le preguntaron a don Laureano.

"Regalar mis mejores semillas a los vecinos."

Los reporteros no lo entendían. ¿Cómo era posible que ganara dándole lo mejor a la competencia? Hasta que el señor les explicó: "Lo que pasa es que el viento trae de regreso las mejores semillas a mi campo y por eso siempre gano".

¿Quieres ganar siempre?

Da a ganar siempre.

¿Quieres perder?

Haz lo que haría un caca seca: quédate con tus mejores semillas.

SÉ POCO PENDEJO

Pepito estaba en clase cuando
el maestro le preguntó:
—¿Qué quieres ser de grande?
—Quiero ser un pendejo—,
contestó Pepito.
—Pero ¿por qué?
—Porque mi papá siempre dice:
"Mira a ese pendejo,
qué bien le está yendo".

Hay de pendejos a pendejos.

Así que primero pongámonos de acuerdo, ¿no?

Quiero compartirte cuáles son los tres tipos de pendejos que trataré en este capítulo: el "poco pendejo", el "pendejo simple" y el "bipendejo":

Primero:
EL POCO PENDEJO

Me refiero a la persona que es sujeto de críticas y difamaciones porque tiene éxito o es feliz, o por cualquier otra razón que haga que otras personas sientan envidia y descarguen su amargura contra él.

Veamos un ejemplo:

Alejandra estaba sentada bajo una sombrilla, tomando un té helado *light* y observando a Karla, quien sin preocupación se bañaba en el mar.

Vio las piernas, cadera, el bikini, el abdomen, el busto y los brazos de Karla. *"¿Qué le pasa a ésta?"*, pensó. *"¿Cómo se atreve a mostrar sus lonjas sin ninguna vergüenza, y ese bikini que exhibe toda su celulitis? ¡Qué asco!, me da pena ajena".*

Alejandra había pasado horas en el gimnasio intentando estar lo suficientemente delgada como para animarse a lucir su cuerpo, ¿cómo era posible que la gorda de Karla lo mostrara sin ningún complejo?

No era la primera vez que Alejandra se sentía así.

Se paró a caminar por la arena y recordó a Laura, una compañera de trabajo que se ponía unos escotes muy atrevidos. *"Ésa es una pendeja pechugona"*, se decía. *"Es una piruja, una volada de lo peor".*

Lo que Alejandra no aceptaba es que lo que sentía tiene nombre: envidia.

No de la buena, ésa no existe.

¡Envidia!, tal cual.

Los prejuicios de Alejandra no le permitían aceptar su cuerpo y disfrutarlo sin complejos, mucho menos tener la iniciativa en una relación de pareja, ¡eso era de voladas! En el fondo le hacía falta darse permiso de ser "volada", tener un cuerpo imperfecto y soltarse.

Cuando iba regresando se cruzó con un hombre muy atractivo, pensó en lanzarle una mirada coqueta, pero no se animó, le dio pena.

Horas más tarde casi le explota la cabeza al ver que ese hombre ya andaba con Karla, "la gorda del bikini".

"¡Qué suerte tienen las pendejas!", se dijo.

Claro, porque Karla **es poco pendeja**, es feliz y no se avergüenza de su cuerpo.

El poco pendejo es el que trae un carro que todos envidian.

El simpático.

El que pasó el examen con 10.

El suertudo.

Tú lo has escuchado, muchas personas dicen:

Mira ese pendejo, ¡qué carrazo tiene!

Mira ese pendejo, se cree simpático.

Mira ese pendejo, pasó con 10.

Mira ese pendejo, se ve feliz.

Pues si trae el carro que quiere, es simpático, saca 10 en el examen y se ve feliz, seguro es **poco pendejo**, y yo quiero ser así.

¿Tú no?

Ser feliz aunque a otros les duela. Mejor poco pendejo, que amargado.

Porque el amargado oculta su inseguridad pendejeando a los demás, minimizando sus logros.

El segundo tipo es:
EL PENDEJO SIMPLE

Un pendejo simple es una persona incompetente en determinada actividad; por ejemplo yo soy *un pendejo automotriz,* no sé ni cambiar una llanta o echar a andar un carro al que se le descargó la batería. También puedo ser un *pendejo social,* o sea, alguien sin tacto que cada vez que va a una fiesta no respeta las reglas de quienes lo invitaron y logra que las personas se sientan incómodas. O un *pendejo emocional,* alguien que no es capaz de comprender sus emociones ni sintonizar con las de otros. También existe el *pendejo buena gente,* quien tiene problemas para ponerse límites y, por ejemplo, le presta dinero a todo mundo.

En teoría existirían los *pendejos totales,* los que son pendejos para todo, pero sólo en teoría, porque aunque no lo creas, todos, absolutamente todos, somos buenos para algo y podemos ser útiles a pesar de nuestras múltiples "pendejadas". Los que creen en los pendejos totales, son más bien personas amargadas e incapaces de reconocer cualidades.

Ahora bien, nuestro crecimiento consiste en reconocer nuestras limitaciones y prepararnos para superarlas. Ser pendejo es una gran oportunidad porque nos ayuda a crecer. Y la vida es como una cebolla, nos quitamos una capa de pendejez y luego sale otra. El día que dejamos de ser pendejos ya estamos listos para ir a la tumba.

Y tenemos al tercero:
El BIPENDEJO

Éste es el sujeto que no ve su pendejez. La ignora.

Aquí está la diferencia: si me hicieron pendejo y lo reconozco, eso es ser pendejo sencillo, si yo me hago pendejo solo, eso es ser doblemente pendejo, o sea, "bipendejo".

Si soy pendejo para relacionarme y lo sé, soy pendejo simple; si además de no saber relacionarme me hago pendejo creyendo que soy muy bueno para hacer amigos, entonces soy doblemente pendejo.

La gran diferencia entre el bipendejo y el pendejo simple es que el simple tiene conciencia, y al tenerla, elige qué hacer con sus limitaciones.

El problema no es ser pendejo, sino ignorarlo.

Éstos son algunos ejemplos de bipendejismo:

➤ Sentir un dolor y hacerme pendejo, no revisarme y dejar que la enfermedad crezca.

➤ Terminar con mi pareja y creer que yo soy un santo y que ella tuvo la culpa de todo lo que pasó. No reconocer mis propias pendejadas.

➤ Querer ganar mucho dinero y en vez de poner manos a la obra criticar a los que ya lo tienen y hasta decirles "¡pinches ricos!"

➤ Casarte con un golpeador creyendo que se le va a quitar.

➤ Pensar que vas a cambiar a tu suegra en lugar de cambiar tú.

El bipendejo cree que la solución para vivir un matrimonio feliz es buscar a una princesa o príncipe azul, sabiendo que no existen. En lugar de aceptar que no hay personas perfectas.

Yo no soy perfecto; la pregunta a hacerme es: "¿Me quiero arriesgar a crecer al lado de otra persona que ha cometido tantas pendejadas en su vida como yo?"

También hay matrimonios bipendejos, duran años sin enfrentar sus problemas, sin hablar las cosas de frente, sin intentar crecer como personas. Se hacen pendejos diciendo que están casados, cuando viven como divorciados, pero bajo el mismo techo. Desde mi punto de vista, vivir en pareja es una bendición, porque si lo intentamos, nos ayudará a abrir los ojos, a descubrir nuestras pendejadas y a comprometernos a crecer. Es una escuela.

Te comparto una experiencia que tuve, en la que descubrí el bipendejismo:

No sé si te ha pasado que escuchas a alguien por teléfono y comienzas en automático a formarte una imagen. Hay voces sensuales, serias, duras o suavecitas.

La voz te lleva a imaginar un tipo de ojos, un cuerpo y hasta una manera de caminar o mover las manos.

Muchas veces conoces a la persona y la voz no coincide con el físico, ya sabes, una voz sensual puede estar incluida en un cuerpo matapasiones, o tal vez una voz lenta venga en un cuerpo ágil y veloz.

Aída era una promotora que por teléfono me daba la impresión de ser alguien profesional, capaz, inteligente y guapa. Después de dos años de tener conversaciones telefónicas con ella, por fin tuve la oportunidad de conocerla. Me impresionó porque su presencia superaba su voz. Aída era la excepción que confirmaba la regla. Me recibió en una oficina con muebles y ambiente contemporáneo. Todo era espectacular.

Pero ¡oh, sorpresa!, nada es perfecto. La imagen y la voz coincidían, pero mi nariz detectaba una incongruencia.

¿Y a qué crees que olía?
¿A perfume?
No.
No seas tan optimista.

¿A mujer?...
Bueno fuera.

¿A sobaco?
Dios quisiera.

Sí... a eso hedía.
A excremento, popó, caca...
o mierda, pues.

Yo me puse a criticarla: ¿cómo era posible?, tan inteligente, guapa, excelente vendedora, y ¿oliendo a mierda?.

Después de quince minutos el olor a caca se hizo tolerable, aunque media hora más tarde ya me había acostumbrado, al grado que ni lo percibía.

Pensé: "Esto es el *efecto matrimonio*, cuando empieza a apestar a mierda te molestas, pero con el tiempo te acostumbras y llegas a creer que así ha olido siempre. ¡Pero no!, lo que pasa es que elegiste callar. En vez de hablar para que las porquerías se ventilen, *prefieres hacerte pendejo* y no decir nada, creyendo que con ese sacrificio salvas la relación, cuando por dentro la relación se está pudriendo".

De todas formas salí muy contento de la reunión con Aída, había cerrado un extraordinario negocio y me había demostrado a mí mismo que tengo la habilidad de mis hermanas cucarachas para adaptarme a los olores más fétidos y sobrevivir en la descomposición.

No tenía ni cinco minutos de haber regresado a mi oficina cuando Karina se acercó y con mucha prudencia me dijo: "Jorge, por favor, revísate la suela del zapato".

La suela de mi zapato estaba embarrada de caca de perro, la limpié y me puse a escribir la gran lección que había recibido.

Porque imagínate: dure más de una hora criticando cómo apestaba Aída, sin darme cuenta de que quien apestaba era yo.

¡Qué mejor forma de explicar el bipendejismo!:

Cuando no soy capaz de oler mi mierda, se la embarro a los demás.

Y ésa es la forma en la que no me permito crecer: culpando, quitándome la responsabilidad y creyendo que yo estoy bien y que los demás están mal.

Y esto me lleva a la pregunta de los sesenta y cuatro mil, la pregunta de la conciencia:

¿Qué conmigo?...

¡Qué pregunta tan poderosa!...

**Aquí huele a caca...
Pero... ¿y qué conmigo?**

**El maestro es un pendejo
Pero... ¿y qué conmigo?**

**Mi esposa está neuras.
Pero... ¿y qué conmigo? Yo la elegí.**

**Mi esposo me golpea.
Pero... ¿y qué conmigo
que lo permito?**

Ésa es la base del crecimiento personal: dejar de dispersarme criticando a los demás y, como dice el proverbio chino, *ver al interior del jarrón.*

¿A quién has pendejeado hoy?

¿A tu compañero de enfrente porque es muy lambiscón con el jefe?

¿Eso qué tiene que ver contigo? Tal vez tu orgullo sea tan grande que confundes la gimnasia con la magnesia y crees que ser amable es ser lamepatas.

O quizá criticas a un tipo que hoy no trabajó y no lo bajas de huevón y parásito, pero si te preguntas ¿qué contigo?, tal vez te des cuenta de que tienes envidia, porque te gustaría estar descansando, pero tus prejuicios no te permiten estar sin trabajar todo un día y no sentir remordimientos.

El bipendejismo se elimina viendo la propia suela de mi zapato.

Como decía Nietzsche: *"La sabiduría consiste en la capacidad para soportar la verdad"*.

Pero hasta a Robin, el compañero de Batman, le ha costado trabajo.

Resulta que era el cumpleaños 18 de Robin.

Batman, como regalo, lo quiso llevar a un nuevo antro que habían abierto en Ciudad Gótica. Pero no lo dejaron entrar porque allá, no es sino hasta los 21 que te lo permiten.

Robin estaba sumamente triste... ¡imagínate!, tendría que aguantar tres años más yendo a tardeadas.

Pero Batman, como siempre, no podía dejar que su amigo se sintiera así; tenía que salvarlo y le hizo una propuesta.

—Mira Robin... ¿qué te parece si por ser tu cumpleaños te dejo manejar el batimóvil?

—¡Santos "batiregalos", Batman! Me parece genial.

Robin se subió al batimóvil, lo encendió y metió primera. Se sorprendió de la potencia con que arrancaba y metió segunda, tercera, cuarta, quinta, sexta, séptima y octava, al fin y al cabo era el batimóvil.

Después de salir a carretera y experimentar vigorosamente la velocidad, Robin manejó hasta la baticueva.

Ahí metió primera y luego la doble tracción, pasó todas las curvas, frenó con motor, y metió reversa para estacionarse.

Cuando apagó el motor, Batman volteó lentamente y dijo:

—Robin... dame un besito.

Robin se quedó mudo y se hizo hasta atrás del asiento para evitar tener tan cerca a Batman.

Pero este insistió:

—Robin... dame un besito... ándale.

—¡Santos "batipuñales"!—, exclamó Robin.

Pero Batman insistía con singular ternura.

—Robin... por favor... dame un besito.

—Pero Batman, ¿qué te pasa? Yo no soy así.

Batman dejó su actitud tierna y, molesto, le señaló:

—No te hagas pendejo, Robin. El batimóvil es automático.

Batman sermoneó a Robin:

—Lo más importante en la vida es no hacerse pendejo.

Lo peor que nos puede pasar es mentirnos a nosotros mismos, y si lo dijo Batman, hay que tomarlo en cuenta... ¿no?

El primer paso del crecimiento es reconocer quiénes somos y qué queremos en la vida. Si somos honestos con nosotros mismos, nos irá bien.

Un consultor me platicó que fue a una empresa a hacer una medición de clima laboral. El director le había dicho que el ambiente era maravilloso, que todos los empleados tenían un gran sentido de pertenencia. Después de entrevistar a los colaboradores, el resultado fue completamente diferente de lo que el director pensaba. Los empleados estaban a disgusto, no se sentían valorados y los conflictos internos eran enormes. El director no quería ver todos los problemas, lo abrumaban, no sabía cómo manejarlos y prefería hacerse pendejo solo, pensando que no pasaba nada.

A fin de cuentas el pendejismo es como el colesterol, hay colesterol del bueno o del malo; igual hay pendejez buena y mala.

Ser poco pendejo es deseable, ser pendejo simple es inevitable. Lo que hay que evitar es el bipendejismo. Aquí está el resumen.

1. **El poco pendejo:** es la persona feliz y exitosa en quien muchas personas reflejan su amargura y envidia.

    Por eso cuando hago algo bien, me motivo diciéndome **"soy poco pendejo"**. Resulta un alivio, ¿no te parece?

2. **Pendejo simple:** se refiere a quien tiene limitaciones para desempeñar una actividad.

3. **Bipendejo:** es el doblemente pendejo, o el que se hace pendejo solo.

    Este bipendejismo, del cual cuesta mucho trabajo despertar, nos lleva a la autodestrucción. A que se nos "desbiele" la vida.

Resulta que un japonés, un gringo y un mexicano fueron a comprar un carro del año. Los tres compraron el mismo carro, los tres iban a salir a carretera y los tres escucharon un ruido en el motor.

¿Qué crees que hizo cada uno de ellos?

El japonés: se para. Busca el manual del automóvil, estudia cómo y él mismo lo repara.

El gringo: se detiene, busca la póliza del seguro, llama a asistencia en el camino y "si no venir a reparar carro en media hora, él poner demanda".

¿Y el mexicano?: le sube al radio para ya no escuchar el ruido.

Sé honesto contigo.

Toma conciencia.

No te hagas que la Virgen te habla.

Bájale al radio.

Y si el motor trae un ruido, hay que ponerle atención, porque si no, se te desbiela el carro.

Si tu matrimonio no está funcionando, busca ayuda y no esperes a que valga cacahuate.

Si sientes dolor, ve al doctor y no esperes a estar gravemente enfermo.

Si tu cuerpo te pide algo; escúchalo.

Si te fijas, el secreto está en la conciencia.

Ésa es la revolución que hoy en día necesita el mundo: no ser borregos, ser conscientes.

Si no escuchamos al planeta, nos lo vamos a acabar.

Se trata de no ser esclavos, y la conciencia libera.

Y para vivir la conciencia necesitamos despertar y ser capaces de escuchar más allá de nuestros pensamientos:

Escuchar lo que vemos.

Escuchar lo que sentimos.

Escuchar nuestra intuición.

¡Escucharnos!

Y para escucharnos, hay que callarnos. Detener unos instantes nuestro ritmo de vida y dejar que las respuestas vengan.

Es sencillo pero…

Pero no es fácil.

Porque hay una gran dificultad, el enemigo número uno de la conciencia:

La infinita capacidad del ser humano para hacerse pendejo

Y haciéndonos pendejos es como complicamos las cosas sencillas:

Hace unos años engordé dieciséis kilos.

La mamá de mi amigo Marco tenía meses sin verme y me dijo:

—Jorge. Te veo muy "repuestito".

—No señora, cómo cree, lo que pasa es que estoy haciendo pesas y eso parece.

¿Te fijas?, ni pesas estaba haciendo, pero no sé cómo le hice para inventar semejante babosada, y lo peor, no sé cómo le hice para creérmela.

Otro día me dijo un amigo:

—Jorge. Te cayeron muy bien las fiestas navideñas ¿eh?, andas bien cerdito.

Y yo le contesté lo mismo, que estaba haciendo pesas, y además agregué:

—Me siento mucho mejor que antes; no es que esté pasado de peso, más bien antes estaba muy ñango. Y ahora que subí ya tengo más fuerza en las piernas y le estoy pegando mejor al balón.

Lo escribo y me da risa, mi infinita capacidad para inventarme cosas y hacerme pendejo.

Así duré tres meses.

Le preguntaba a mi novia (hoy mi esposa).

—Oye Yazmín... ¿tú me ves gordito?

Y ella me decía:

—Claro que no mi amor, te ves muy bien, antes estabas muy flacucho.

¿Qué me iba a decir ella, si estaba enamorada? Y aún estábamos quedando bien. Pero yo le pregunté a ella porque necesitaba escuchar esa respuesta; no le iba a preguntar a alguien que no me permitiera engañarme.

Pero lo hermoso de la vida es que sólo te deja hacerte pendejo por un tiempo.

Tarde o temprano, un chingadazo de realidad llega a tu puerta y no puedes evitarlo.

En ese tiempo habíamos quedado campeones en el futbol y en el festejo me había quitado la camisa.

Un día me mandaron una de las fotos por internet.

Cuando vi la foto dudé de que fuera yo. Pero el trancazo de realidad llegó a mí. El momento mágico de lucidez en que me di cuenta de lo que pasaba conmigo, y entonces reconocí:

"¡Qué pinche panzota traigo!"

Pero aún me pregunto: ¿cómo le había hecho para ocultarme a mí mismo semejante barrigón, si todos los días la cargaba?

Insisto: la infinita capacidad del ser humano para hacerse pendejo.

Ignoré que me dolía la espalda baja de tanto cargar lonjas.

Ignoré que muchos veían mi panza y me lo decían.

Y lo más espectacular:

Descubrí que, de forma inconsciente, cada que me veía al espejo sin camisa sumía la panza y sacaba el pecho.

Entonces pude comprender a los políticos. Porque vi que es una cosa inconsciente: hacerse pendejo es parte de la condición humana. Por eso, ellos contratan a personas que les digan que su mierda huele a rosas.

Entre más nos cuesta reconocer nuestra realidad, más movemos el mundo para seguir haciéndonos tontos.

La señora a la que le ponen el cuerno se inventa cosas para creer que su marido trabaja mucho y le es fiel.

El padre de familia se inventa cuentos para creer que no necesita hablarle de sexo a su hija, porque ella no va a salir embarazada.

El novio se inventa fantasías para seguir creyendo que su novia no tiene defectos.

Pero como dije, tarde o temprano llega el guamazo de realidad.

Voltea a verte, reconoce quién eres, cuáles son tus fortalezas, cuáles tus limitaciones.

Toma conciencia.

¿Cómo te sientes hoy con tu vida?

¿Es así como te gusta vivir?

¿Preferirías hacer cambios?

Toma conciencia y asume que eres el responsable de tu vida.

No le eches la culpa a nada ni a nadie.

Agarra tu pelotita, y sé como tú quieres ser.

En lo personal estoy convencido de que quiero dejar de hacerme pendejo solo, más bien me gustaría aceptarme y crecer con todo y mis limitaciones.

Por eso tengo un sueño:

¡Quiero ser poco pendejo!

FLOJITO Y COOPERANDO
CÓMO ENFRENTAR
LOS OBSTÁCULOS

No siempre eliges la circunstancia
que te tocó vivir,
pero invariablemente eliges
la actitud con que la enfrentas.

ROBERT DILTS

¿No crees que uno de los principales motivos de la amargura es la necedad?

El no adaptarnos a lo que hemos logrado o lo que la vida nos dio. Vivir buscando lo que debió ser en vez de dar la bienvenida a lo que es.

Si conjugamos los verbos lo podremos apreciar:
>   Yo hago.
>   ¿En qué tiempo está conjugado?
>   Presente.
>   ¿Yo haré?
>   Futuro.
>   ¿Yo hice?
>   Pasado.
>   ¿Y yo hubiera hecho?...
>   Ése es en "tiempo pendejo".

El hubiera es el tiempo que conjuga la necedad de aferrarnos a lo que ya no fue.

La inteligencia es todo lo contrario, es la capacidad de adaptarnos a nuestra realidad actual y vivirla con plenitud.

Podemos soñar, buscar nuestros objetivos, adaptándonos y siendo flexibles.

Porque la rigidez enferma y la flexibilidad sana.

Ser flexible consiste en copiar lo que hace la naturaleza. Si algún órgano de tu cuerpo empieza a no funcionar, tu propia naturaleza verá cómo hacerle para que puedas seguir vivo y buscará compensar las funciones de ese órgano.

La naturaleza se adapta.*

¿Y tú ?...

Quien no se adapta no puede vivir en pareja. Tampoco trabajar en equipo.

Y quien es flexible logra sus objetivos y vive con plenitud.

Por eso, me gustaría que primero pensaras en una meta que ahora tengas.

---

[1] A esto se le llama Homeostasis (N. del autor).

Piensa en estos tres elementos:

1. Tu estado actual, que quiere decir cómo te sientes ahorita y con qué recursos cuentas.
2. El estado deseado, o sea, la meta que quieres lograr.
3. Los obstáculos.

De eso se trata este capítulo, de conocer las seis formas de enfrentar los obstáculos en tu vida para poder lograr tus objetivos.

La idea es que descubras con cuál te identificas más y luego elijas cómo quieres seguir.

Las tres primeras formas de enfrentar obstáculos, en la mayoría de las ocasiones, no dan buenos resultados:

1. Engarrotarse.
2. ¡Echarle ganas!
3. Correr.

Las otras tres, no sólo dan resultados sino que te ayudan a vivir a toda madre.

4. Bailar con el obstáculo.
5. Mover la meta.
6. Flojito y cooperando.

Primera forma de enfrentar obstáculos
¡ENGARRÓTESEME AHÍ!

No hacer nada, ver demasiado grande el obstáculo y no moverte.

Supongamos que ves a una chica guapísima, crees que es demasiado para ti y mejor no te acercas. Eso es engarrotarse.

O quieres poner un negocio, pero te la piensas tanto que nunca comienzas.

O tal vez estás jugando futbol, es una gran final y el árbitro marca un penal a favor de tu equipo. Tú eres el cobrador oficial, pero en esta ocasión te engarrotas y se lo das a tirar a otro compañero, por ejemplo a Alberto Coyote. Pregunta de trivia: ¿a quien le pasó esto?*

Hay otras formas de decir "me engarroté" a la mexicana, como: "Te acalambraste" o *le culié... monsieur*.

* A Luis García, en una final Chivas-Necaxa.

Segunda forma de enfrentar obstáculos
¡ECHARLE GANAS!

Intentas poner tu negocio, le echas ganas… pero fracasas. Lo vuelves a intentar una y otra vez, le echas ganas, pero siempre llegas a lo mismo… a nada.

Echarle ganas es luchar contra el obstáculo, intentar lograr tu objetivo con pura fuerza.

Como el gerente que todos los días le dice a su grupo de vendedores: ¡Échenle ganas!

Resultados: muchos embarazos

Le echaron muchas ganas… ¿no?

Con echarle ganas alcanza para producir niños, pero no para mantenerlos.

Hay obstáculos tan grandes que primero te rompes la cabeza antes de que el obstáculo se mueva.

¿QUIÉN GOLPEA TAN FUERTE LA PUERTA?

No todas las cosas se logran con puros huevos (hasta el rompope necesita leche).

Pedro y Beto son dos compadres que una tarde de miércoles fueron al cine a ver una película de vaqueros.

Cuando el protagonista de la película galopaba a toda velocidad, Pedro le dice a Beto:

—Oiga, compadre Beto.

—Dígame, compadre.

—Le apuesto mil a que el jinete se cae del caballo, pues'n.

—Va, compadre, va. Apostamos mil pesos... ni más ni menos.

Al final de la carrera el jinete se cayó.

Entonces Beto sacó los mil pesos e intentó dárselos a Pedro.

—Mire compadre, no se los puedo recibir.

—¿Cómo, pues'n?

—Le hice trampa compadre, la verdad es que yo ya había visto la película.

—No compadre, me tiene que recibir los mil pesos, pues yo perdí pues'n. Y siendo honestos, yo también ya había visto la película, y varias veces.

—Entonces, ¿por qué apostó compadre?...

—Es que siempre guardo la esperanza de que tenga un final diferente.

Ser aferrado es echarle ganas una y otra vez sin darte cuenta de que si haces lo mismo, obtendrás lo mismo.

Imagina que tu objetivo es llevarte bien con tu esposa. Siempre que se enoja contigo le dices que ella tiene la culpa porque te habla feo y entonces se enoja más.

Y todos los días pasa lo mismo. Le dices que ella tiene la culpa esperando que las cosas se arreglen, pero nunca se arreglan. Ya has visto la película cientos de veces, pero sigues esperando un final distinto.

Quizás todos los días te tiras al piso y te haces la mártir esperando que eso haga reaccionar a tu marido, pero no da resultado. Y una y otra vez terminas viendo siempre la misma película.

O todas las veces que tu pequeño hijo —de 40 años— se pone borracho. Le preparas unos chilaquiles y le das el mismo sermón esperando que deje de tomar.

O eres gerente de una empresa y cada que hay problemas les pones sendos regañadones a tus colaboradores. Invariablemente les demuestras que tú tienes la razón y que ellos son unos huevones, pero siguen haciendo lo mismo y la empresa no sale de la mediocridad.

Tal vez tú tengas razón y ellos no están haciendo bien su trabajo, pero tampoco tú, puesto que las cosas no mejoran.

Si quieres que pase algo diferente tienes que actuar diferente.

No se trata de tener la razón, ni de que hagas bien o mal.

Mejor pregúntate... "¿Lo que estoy haciendo me da resultados o me estoy aferrando?"

La opción 2 es luchar contra el problema, hacerlo una, dos o veinte mil veces, o sea, echarle huevos hasta quedar como *omelette*.

Tercera forma de enfrentar obstáculos
CORRER: PATITAS, ¿PA' QUÉ LAS QUIERO?

Otra forma de enfrentar los obstáculos es correr, huir.

Obviamente que por este camino está en chino llegar al objetivo y además presenta una gran desventaja. Porque los obstáculos tienen una forma de ser muy especial, entre más les huyes más te persiguen.

Supongamos que tú dices: "No quiero ser como mi papá", y huyes de ello. Lo más probable es que te conviertas en alguien muy parecido a él.

O, por ejemplo, dices: "Espero que no me toque el maestro Lupito, porque es bien cabrón". Pues ándale que en el siguiente semestre te toca Lupito.

O le sacas la vuelta a la casa de tu ex novia. Pero te la encuentras en el cine.

Hay muchas formas de huir.

No necesariamente tiene que ser corriendo. Por ejemplo, si tengo tarea y en lugar de hacerla me pongo a ver la tele, estoy huyendo.

O si tengo que hacer una llamada telefónica muy importante, pero mejor me pongo a arreglar mi escritorio, también estoy huyendo.

Tal vez también conoces personas que huyen de los obstáculos tomando o fumando o con cualquier otra adicción, que en vez de enfrentar lo que está pasando, mejor se ponen pedos.

A veces también hablar es una forma de huir. Tu esposo te quiere decir que no está a gusto con tu forma de actuar, pero tú hablas y hablas para no escucharlo.

O como el empleado "cuenta-chistes". Es a toda madre ser chistoso, pero todo tiene su momento.

Imagina que estás en plena junta en el trabajo y cada que van a hablar de un tema difícil no falta el compañero que saca una bufonada para distraer; ésa es su manera de huir.

Engarrotarse, luchar o huir son las formas menos adecuadas de enfrentar los obstáculos. Veamos mejores opciones:

Cuarta forma
BAILA CON EL OBSTÁCULO

Fíjate en la naturaleza de los obstáculos. Si te acalambras los ves más grandes.

Si luchas con ellos se crecen y te rompen la madre.

Si corres, no te dejan en paz hasta que te alcanzan.

En cambio, si piensas: ¿cómo puedo hacerme aliado de este obstáculo?, ¿cómo puedo fluir?, ¿cómo aprovecharlo?, ¿para qué está aquí? o ¿qué puedo aprender?, vivirás mucho mejor.

No luches, mejor baila.

Hay un excelente ejemplo de Paul Waltzlavich.*

Resulta que Carmen y Lalo se casaron.

Los papás de Lalo, o sea, los suegros de Carmen, aparentemente resultaron a todo dar, porque no sólo les pagaron la boda y la luna de miel, sino que incluso, como regalo de bodas, les dieron una casa, por supuesto elegida por los suegros.

Todo esto parecería una gran bendición, pero en realidad había un problema enorme, los suegros

---

* Paul Waltzlavich. Distorsioné la historia, los nombres de los protagonistas y los lugares para tropicalizarlos y adaptarlos al tono de este libro.

controlaban al matrimonio, no los dejaban crecer. Los regalos tenían un precio... el poder.

Y eso que Lalo y Carmen vivían en León, a dos horas de Guadalajara, donde radicaban los suegros.

Pero una vez al mes los suegros viajaban a León para visitar a la joven pareja; iban siempre llenos de regalos.

Comían en restaurantes y el papá de Lalo pagaba, además le lavaba el carro, porque decía que su hijo no lo hacía muy bien.

La dulce suegra lavaba los trastes y cocinaba, enseñándole a Carmen cómo debería hacerlo.

Carmen y Lalo estaban hasta la madre de ser tratados como niños inútiles. Los suegros empezaron a ir cada quince días y ellos se sentían invadidos y controlados.

¿Cómo enfrentar este obstáculo?

La primera estrategia que tomaron fue competir al estilo "echándole ganas".

Intentaron luchar por su relación y debilitar a sus suegros.

Lalo competía por pagar las cuentas en los restaurantes, pero su papá siempre se le adelantaba. Cuando intentaba pagar la cuenta ya estaba liquidada.

Lalo y Carmen competían comprando bonitos regalos, pero los señores contraatacaban con regalos más grandes.

Sí, ¡era un guerra!

¿Para ver quién daba más?

No...

Era una guerra por el control.

Lalo luchaba lavando su carro, pero su papá siempre encontraba un defecto para poder dejarlo mejor.

Carmen quería demostrar su poder cocinando un postre, pero su suegra ganaba comprando un pastel en la mejor pastelería de la ciudad.

Entre más ganas le echaban Lalo y Carmen, el obstáculo crecía: los suegros daban más.

Cuando Lalo y Carmen se dieron cuenta de que no podrían vencer de esta manera (o sea, se dejaron de aferrar) fueron a ver a Paul Waltzlavich, y él les dio la instrucción de que dejaran de luchar. Porque luchar era hacer más de lo mismo y así no habría cambio. Lo que Pablo les pidió fue que cambiaran la jugada, que no lucharan contra la resistencia, que la hicieran asistencia, que bailaran con ella.

Entonces Carmen y Lalo se prepararon para recibir a los suegritos.

Lalo no lavó el carro en quince días; ya no había que bailar con los papás.

Carmen dejó todos los trastes sucios; hasta un nido de hormigas se hizo en el lavaplatos, y unas cuantas cucarachas rondaban por las noches.

La instrucción era precisa, no luchar.

Si los trataban como niños inútiles, a ese son debían bailar.

El primer día, la suegra lavó todos los trastes y dejó la cocina impecable, pero Lalo y Carmen se levantaron temprano, desayunaron y empuercaron lo más que pudieron, ni siquiera recogieron su plato. La suegra lavaba toda la loza a diario, sin la menor ayuda.

Lo mismo le pasó al papá con el carro de Lalo.

Cuando fueron a cenar al restaurante, Carmen y Lalo pidieron los platillos más caros y una botella del vino más costoso. Lalo ni siquiera se ofreció para pagar la cuenta.

En verdad que se enconcharon.

El domingo en la noche, un día antes de que los suegros regresaran a Guadalajara, el papá de Lalo le comunicó a su hijo que quería hablar con él.

Salieron a la terraza y el señor le explicó:

"Mira hijo. Necesito decirte algo. Espero que Carmen y tú no se vayan a sentir. Tu mamá y yo hemos estado platicando y nos dimos cuenta de que es conveniente que no vengamos tanto. Ustedes ya son adultos y necesitan crecer y madurar solos".

"No te preocupes papá, lo entiendo", contestó Lalo feliz.

¡Increíble!... en vez de pelearte puedes dejar de luchar contra los obstáculos y bailar con ellos para lograr tu objetivo.

Se llama principio de utilización, todo sirve para algo.

Una amiga tenía el problema de que no la dejaban salir mucho.

Siempre había pleitos con sus papás porque ellos querían que avisara a cada rato cómo y dónde estaba.

Ella siempre peleaba y discutía. Entre más peleaba y discutía los papás eran más estrictos.

Entonces leyó a Waltzlavich y cambió de estrategia, dejó de discutir con sus papás y mejor les hablaba cada treinta minutos para avisarles donde andaba y qué estaba haciendo. No lo hacía en plan de burla ni con tono sarcástico, les avisaba muy en serio.

No pasaron ni dos semanas cuando los papás se hartaron de sus llamadas y le pidieron que no hablara tanto, que confiaban en ella.

Ella dejó de luchar... los papás también.

Esta forma de enfrentar los obstáculos es pensar "todo pasa por algo", "todo pasa para mi bien", "¿cuál es la enseñanza que este obstáculo me deja?" Porque, a fin de cuentas, los obstáculos no son barreras, son trampolines.

Imagina que tu hijo está haciendo un berrinche porque quiere un juguete que no le quieres comprar. ¿Cómo sería luchar con él?:

Decirle: "No llores, cállate, no seas berrinchudo". Y peor aún, terminar comprándole el juguete.

Algo que le aprendí a un señor que se llama Alfredo es que cuando su hijo le hacía berrinches, Alfredo se lanzaba al piso, pataleaba y gritaba como loco:

"Quiero un juguete."

"Quiero un juguete."

"¡Queremos un juguete!"

Total que el niño se sacaba de onda y se veía en el ridículo espejo de su papá.

Siempre me acuerdo de las palabras de Alfredo:

"Tú mandas de su cuerpo para afuera, le puedes decir a tu hijo qué sí y qué no hacer, le puedes poner reglas. Pero no le puedes ordenar que no sienta, porque eso ya es de su cuerpo para adentro.

¡No luches contra lo que no está en tus manos!... no seas aferrado... ¡utilízalo!

Como en la historia del loco aquel que se creía Jesucristo; muchos psiquiatras lo habían querido curar pero él simplemente afirmaba que era Jesucristo.

Ricardo Bandler y Juan Grinder fueron a verlo, pero decidieron no luchar, sino bailar con la resistencia.

—¿Tú eres Jesucristo?

—Tú lo has dicho, hijo mío—, contestaba el loco.

Ricardo y Juan platicaban con él en cada una de sus visitas, él les contaba parábolas y ellos le tomaban medidas a su cuerpo.

Un día Ricardo y Juan llegaron con dos grandes tablas de madera y las empezaron a clavar haciendo una cruz.

El loco les preguntó:

—¿Qué hacen, hijos míos?

—Estamos haciendo una cruz maestro, para crucificarlo. Usted es Jesucristo... ¿o no?

—¡No, yo no lo soy!—, dijo el loco, quien comenzaba a regresar a la realidad.

Juan y Ricardo no lucharon contra el loco, bailaron con él.

Él decía que era Jesucristo, ellos le dijeron que sí, que lo era y bailaron hasta que el paciente regresó a la realidad.

Quinta forma de enfrentar obstáculos
CAMBIA DE OBJETIVO

Don Teca era un señor que caminaba por el desierto.

Llevaba semanas enteras caminando y caminando.

Y aunque había conseguido agua y comida se sentía muy mal porque llevaba tres semanas sin tener relaciones sexuales.

Para él era algo muy difícil, al grado de que entendió por qué a algunas personas corajudas les dicen "ya cásate", pero también pensó que no tenía sentido, porque muchas veces, ya casados, tenían menos sexo y más obligaciones, y por eso seguían de genio.

Pero entre todos sus pensamientos, don Teca buscaba una posibilidad, algo que él pudiera hacer para eliminar ese momento de abstinencia involuntaria, de hormonas reprimidas, de necesidad incandescente.

No se sabe si fue el calor del desierto o simplemente una respuesta de su urgencia, la cosa es que don Teca decidió que se echaría al camello.

Vio que estaba un poco alto y que no lo alcanzaba, pero cuando don Teca tenía un objetivo en la mente, era tenaz como una mula.

Así que de forma más que creativa decidió que, para "abrocharse" al camello, requeriría el banquito que traía amarrado en la joroba.

Lo puso justo detrás del camello, se subió al banquito, se bajó los pantalones...

Y justo cuando iba a comenzar el acto sexual…

¡Strike! El camello dio un paso al frente y don Teca azotó sobre la arena.

Pero esa pequeña mala experiencia no iba a evitar que don Teca (quien por cierto ya estaba más caliente que el mismo desierto) lograra su cometido.

Entonces se levantó, movió el banquito unos centímetros. Volvió a subirse, e iba a "abrocharse" al camello cuando…

¡Strike 2! El animal dio un paso más al frente.

Pero don Teca no se rendía, volvió a acercar el banquito, tomó al camello de las caderas, hizo su pelvis hacia atrás y...

¡Strike 3! ¡Ponchado!

Pero don Teca no iba a permitir que el camello le ganara, además, su urgencia no era para menos. "¡Vamos!, sí se puede", se decía.

Tristemente, el camello siempre le aplicaba la misma.

De pronto, a lo lejos don Teca vio un *jeep* parado. Caminó lentamente esperando que no fuera una alucinación producto de la mezcla de calentura, soledad y frustración que lo invadía. Pero no. Sus ojos no le mentían. Como un regalo de Alá, ahí estaba aquel *jeep*. Una mujer bajó, tenía los ojos y las pestañas grandes, un vestido blanco que permitía ver sus curvas y un escote que dejaba ver una parte de sus pechos.

—Es un milagro encontrar a alguien por aquí—, dijo la mujer coqueteándole a don Teca.

—Mire, señor, mi automóvil se ha descompuesto, necesito su ayuda y si usted me lo arregla yo estoy dispuesta a hacer lo que me pida.

Don Teca no sabía mucho de mecánica, pero la urgencia sexual es un elemento que ayuda a despertar el potencial humano. Quién sabe cómo (ni el mismo don Teca lo sabe), pero veinte minutos después, el *jeep* estaba listo.

La mujer, agradecida, le dijo:

—Ahora sí, señor. Voy a hacer lo que usted me pida.

—¿Lo que yo le pida? —preguntó incrédulo.

—¡Sí..! Lo que usted me pida.

—Entonces señorita… ¡por favor, deténgame a ese pinche camello!

¿Te ha pasado lo que a don Teca?

Que tienes una meta y te aferras a ella, pero no te das cuenta de que hay metas mejores y más cercanas.

Mientras caminas en la vida, vas encontrando que hay mejores cosas que las que planeaste: ¡Se vale mover tus metas!, eso es ser flexible.

Tener visión es tener un rumbo, pero no un punto fijo al cual aferrarte.

Observa bien el horizonte y ve eligiendo lo mejor para ti.

Que no te pase lo que a Juan, que por aferrarse a Bertha, quien no lo pelaba, dejó pasar a Lorena, a Alejandra y a Lupe.

Que no te pase lo que a Martha que por aferrarse a la venganza contra Pedro, dejó de disfrutar a Ignacio y a Ismael.

¿Para qué aferrarte al camello habiendo tanta belleza alrededor?

"Es de sabios cambiar de meta", ¿no?

Sexta forma de enfrentar obstáculos
FLOJITO y COOPERANDO

Hay veces en que el obstáculo es inevitable, que no está en tus manos librarte de él, y que por mucho que luches, terminarás perdiendo.

Por ejemplo:

Los años son inevitables.

La forma de ser de tus seres queridos.

Algunas cosas en tu forma de ser, que por mucho que has luchado, no has podido cambiar.

Cuando el obstáculo es ineludible, ¿qué hay que hacer?

Pues flojito y cooperando, ¿no crees?

Si te quitas la edad… mejor: ¡flojita y cooperando!, presúmela, siéntete orgullosa de los años que tienes.

Ríndete y serás libre.

La vida no es una guerra.

Ni tampoco puedes controlar todo.

Acéptalo.

La vida es un río y tú eres agua. Si te dejas guiar encontrarás tu camino.

Por eso, el cuarto principio de este libro es "flojito y cooperando", o sea, "no seas aferrado, sé flexible".

Cuando nuestros músculos se ponen rígidos corremos el riesgo de lesionarnos, cuando estamos flexibles corremos el riesgo de ser felices.

El secreto de la felicidad es aflojar.

Lo sabía aquel hombre que fue a la cantina:

—¿Qué le pasa? —le pregunta el cantinero.

—Es que en la guerra me violó un negro grandísimo.

—¡Qué chinga!, ¿verdad?

—No. Lo que pasa es que esta maldita paz nos ha separado.

Hablando de aflojar, la otra vez fui a que me inyectaran y la enfermera me pidió que me bajara los calzones.

Me los bajé, pero estaba nervioso.

Mucho más al escuchar sus palabras y su voz tensa:

"Mire, joven, no se me ponga nervioso porque esta sustancia es muy dolorosa, no se ponga tenso, porque si aprieta las pompas le puedo romper la aguja adentro y duele mucho".

A esas alturas yo traía las nalgas completamente contraídas.

Me dolió tanto, que pasé tres días cojeando.

Entonces entendí que apretarlas duele.

Pero si me pongo flojito, la inyección ni se siente.

Y me gustaría preguntarte:

¿Tú en qué te estás apretando?

No puedes evitar que tus hijos crezcan... ¡afloja!

No puedes cambiar a las personas... ¡afloja!

Bailar cura el alma: ¡aflójalas!

No puedes evitar envejecer... ¡afloja y disfruta tu edad!

Entre más luches contra el tiempo, más duro será el tiempo contigo.

Flojito... y cooperando.

No luches contra la vida, hay un hermoso plan para ti. Tal vez diferente al que tú pensaste.

Sé flexible y déjate querer.

Aflójalas...

Hace algunos años yo vivía en guerra contra mis hormonas, sentía mucha angustia, porque se me estaba cayendo el cabello a montones. Compré doscientos *shampoos* y fui a un par de tratamientos. Entre más me preocupaba por mi cabello, más se me caía.

Llegó el momento en que me rendí. Como dice Cuauhtli Arau: "Si haces una guerra contra las hormonas, ellas siempre ganarán".

Acepté que el cabello se me caería y seguí mi vida... ¡flojito y cooperando!

La paradoja, lo sorprendente, es que cuando dejé de aferrarme a tener cabello se me dejó de caer tan rápido.

Creo que cuando dejas de enojarte contigo mismo, de luchar contra lo que eres, tu potencial comienza a despertar. Cuando dejas de querer cambiar a tu suegra, a tu papá y a tu esposa, es cuando la vida cambia contigo.

¡Flojito y cooperando!

Porque:

"Si aceptas tu destino...
el destino será generoso contigo."

BERTH HELLINGER

¡NO SEAS MAMÓN!

"La mejor relación es aquella en la que el amor mutuo es mayor que la necesidad mutua."

DALAI LAMA

¿**C**ómo se alimenta un recién nacido?

Mamá le da lo mejor de lo mejor.

Porque aunque los laboratorios se han esforzado no han podido, ni por mucho, igualar las propiedades y los beneficios de la leche materna.

El recién nacido es un ser indefenso, necesita protección total...

¡No puede valerse por sí mismo!

Los padres deben atenderlo, cambiarlo, protegerlo y alimentarlo...

Y un bebé se alimenta mamando.

Pero... ¿qué pasa cuando una persona tiene 40 años y sigue en las mismas?

¿Conoces personas que después de los 40 siguen siendo dependientes?

Se llaman mamones.

Son adultos biológicamente, pero no han madurado.

Los hombres y mujeres mamones son demandantes.

No sólo piden chichi: ¡la exigen!

Reclaman chichi de mamá.

De papá.

De la esposa.

Jorge Cuevas

Del esposo.

De la empresa.

Del gobierno.

Y del que se ponga enfrente y se deje...

—*Te presto lo que quieras* —le dice Toño a un amigo al que le da hospedaje, pero el amigo era muy demandante y quería más y más y más.

Un día Toño lo observó usando todos sus artículos personales y le dijo:

—*¡Te presto todo, menos mi cepillo de dientes!**

En otras palabras, todo tiene su límite. Pero el amigo se fue quejándose de lo gacho e incomprensivo que era Toño.

—*Ni un pinche cepillo de dientes me quiso prestar.*

Es cómodo ser dependiente. Pero, tarde o temprano, a los 20 o a los 50 años, siempre llega el momento. La encrucijada de tu vida en la que te dices a ti mismo: ¡Ya no mames!

Qué hermosa frase... ¿no?

No mames significa:

"Deja de depender de los demás y crece".

"Hazte responsable de ti mismo".

---

* Tomado de *La sabiduría de los chistes*, de Alejandro Jodorowsky.

"No manches tu bikini".

Si no te dieron lo que necesitabas, deja de reclamarlo, es momento de que dejes de pedir que te rescaten. Tú eres el único que puede rescatarse a sí mismo y como adulto puedes darte lo que necesitas.

Lo que no se vale es chantajear a los demás, quejándote de tu desgracia.

No se vale pedir, pedir y pedir... y después seguir pidiendo.

Es importante que en la vida exista un equilibrio entre dar y tomar.

Cuando somos bebés necesitamos recibir y que nos hagan sentir que tenemos derecho a pedir. Ahora como adultos nos toca equilibrar. Dar y recibir. Ya no sólo estar mamando.

Como lo maneja Hellinger, imagínate que el hijo pródigo llega a su casa y es recibido por su padre, pero en vez de recibir todo lo que su padre le da, le dice:

"Querido papá, gracias por la vida, ahora yo me hago cargo de ella".

Por eso quiero compartir cuáles son los tipos de mamones, las nodrizas más comunes y, por último, cómo crecer, o sea:

¿Cuáles son las herramientas para lograr el anhelado destete y convertirme en una persona madura?

Trata de ir tomando conciencia, ubicando qué características coinciden contigo o con tu pareja, tus hijos, tus colaboradores o tus maestros.

Es importante que ubiques a las personas que te rodean, porque si estás rodeado de mamones y tú no lo eres, seguro que te has convertido en la chichi que otros están exprimiendo.

TIPOS DE MAMONES:

El mamón emocional: "¡No puedo vivir sin ti!", es la típica frase de los mamones emocionales. Son personas que necesitan a los demás. Ojo: no los aman, ¡los necesitan! Que son dos cosas bastante distintas. El mamón emocional puede parecer muy romántico. Pero en realidad es dependiente. Sufre y hace sufrir.

Imagínate que Pedro llega a su casa y le dice a Juana, su esposa:

—Ya no te necesito.

Seguramente Juana se pondrá como energúmeno, porque está acostumbrada a ser esclava, a ser poseída, le gustan las frases de las telenovelas: *"tú eres mía y de nadie más"*, *"yo soy tuyo"*, *"te poseo"*. Pero eso la aleja de la felicidad.

¿Qué pasaría si Pedro le dijera:

"*Ya no te necesito. Me he dado cuenta de que puedo vivir sin ti. Pero quiero estar contigo... ¡y eso tiene más mérito!?*"

Cuando menciono "te necesito" estoy diciendo que soy tu pareja porque no tengo otra opción. Pero si digo: "*Puedo vivir solo y prefiero vivir contigo*", entonces estoy diciendo que nuestra relación está basada en lo que queremos y no en nuestras dependencias.

Sí, te amo, puedo permitir que te vayas. Pero si soy un mamón emocional no quiero que me dejes solo, ¡ni un momento!, porque resulta que no soy tu pareja, más bien soy un bebé que necesita chichi, cuidado y protección.

Por eso los celosos (as) y posesivos (as) son mamones emocionales.

El mamón económico: Es aquella persona, organización o país que depende financieramente de alguien, y que no ha aprendido a sobrevivir con sus propios medios.

Un matrimonio económicamente mamón es aquel que es mantenido por sus suegros.

Una empresa mamona es aquella que generalmente está en números rojos, pero tiene un inversionista nodriza al que permanentemente le está chupando dinero.

El mamón espiritual: Leí el otro día que tanto japoneses como mexicanos somos muy religiosos, la diferencia es que los japoneses le hacen ofrendas a Dios y los mexicanos nos la pasamos pidiendo y exigiéndole.

El mamón espiritual es aquel individuo que al dialogar con Dios sólo pide: *Dios mío, haz que a mi hijo le vaya bien. Dios mío, haz que ganen las chivas. Dios mío, ayúdame a comprar una casa. Permite que sea más fácil la escuela. Que mi jefe sea más lindo. Que a mis enemigos les vaya mal. Que a mis amigos les vaya bien. Dios mío, para mí no te pido nada... sólo dale un buen yerno a mi mamá.*

El mamón espiritual no hace oración, sino pliegos petitorios, y no se conforma con pedirle a Dios, también le reclama: *"Dios, ¿por qué no me has mandado el aumento de sueldo que te pedí?"*

Y si después del reclamo no hay resultados, entonces le hace un berrinche.

¿No sería distinto decir?: "Sé que por algo me tocó esto. Trataré de aprender, y te lo ofrezco".

Creo que una de las cosas más hermosas de creer en Dios tiene que ver con dejarme guiar, con dejar de ser mamón y de querer que las cosas sean como me da mi gana. Aprender que hay cosas que no están en mis manos y aceptar que otras escapan a mi comprensión.

El mamón intelectual: Cuando somos bebés y estamos en la etapa predental, o sea, cuando nos alimentamos mamando, también mamamos el conocimiento.

Chupamos todo lo que vemos, sentimos y escuchamos sin preguntarnos nada. No aprendemos a relacionarnos por los sermones que nos dicen nuestros padres, simplemente mamamos lo que vemos. Si papá y mamá dialogan, aprenderemos a dialogar, si se gritan aprenderemos a gritar, si se ignoran aprenderemos a ignorar. Mamaremos todo el conocimiento y no nos cuestionaremos nada. Eso es lo natural.

Cuando crezcamos nos saldrán dientes y finalmente muelas. Entonces ya no nos alimentaremos mamando, ahora morderemos y masticaremos.

Ya no nos "pasaremos las cosas", exploraremos y haremos pedacitos la comida para que nos sea más fácil digerirla.

Y lo mismo tendría que pasar con el conocimiento.

Mamar el conocimiento es prender la tele y tragarnos todo lo que nos dicen sin cuestionar nada.

Convertimos así a la tele en nuestra mamila electrónica.

Madurar es masticar, y masticar el conocimiento es prender la tele y empezar a elegir qué nos sirve y qué no para poder digerirlo.

El mamón intelectual se cree todo lo que ve, lee o escucha.

Abre un libro y mama cada concepto. Cree que el autor tiene la razón en todo.

El mamón intelectual va a la escuela y se traga todo. No cuestiona nada.

Es la persona que dice: "Esto es cierto" y cuando le preguntas "¿por qué?" te dirá que porque lo dijo su maestro o el escritor Fulano de tal o los conductores de Televisa o TV Azteca o CNN.

Como diría Perls, su cabeza es una sala con muebles que no son propios.

Pero si crece podrá discernir, sabrá que tiene derecho a dudar y cuestionarse, a establecer su propio criterio, a masticar lo que le han dicho.

El chupahalagos: ¿Conoces a alguien que no puede aceptar una crítica?, ¿que se rodea de asesores que lo estén halagando y no le hagan ver ningún defecto?

Ése es el chupahalagos, una persona que depende del reconocimiento de los demás. Es alguien sumamente manipulable. Si tú le dices que es dios, él se lo cree, y en ese momento se convierte en tu esclavo. Porque mientras le digas que es dios, hará lo que tú quieras.

El chupahalagos necesita muchísimo de la afirmación de los demás porque aún es un bebé incapaz de autoafirmarse.

Un halago es algo hermoso, pero el chupahalagos es adicto y se pone como vaca loca cuando alguien no valora su esfuerzo.

No mueve un pie si no se le reconoce.

Hace las cosas para quedar bien con los demás, y es tal su necesidad de aprobación que se ha olvidado de quedar bien consigo mismo.

El chupacabras: Ése no sé qué onda, pero se me ocurrió. Pero para completarle, te cuento uno de gallegos:

Llega Venancio a su recámara llevando entre sus brazos una cabra, su mujer está acostada.

El gallego dice:

—Esta vaca es con la que te engaño cuando me dices que te duele la cabeza.

—Pero si serás animal, Venancio, —le responde la mujer —ésa es una cabra".

—Sí lo sé, estoy hablando con ella.

El chupacaguas: El chupacaguas o chupacoñac, o chupatequila o lo que sea, es aquel individuo que "depende del alcohol" para hacer algo.

Recuerda: ser mamón es ser dependiente, ser adicto es ser dependiente y por lo tanto, **ser adicto es ser mamón**.

El chupacaguas depende de su chela para ponerse valentón, no es capaz de expresar sus sentimientos de enojo sin ayuda del pisto.

El chupacaguas igual puede necesitar del alcohol para ponerse romántico y decir "te quiero" a las personas a quienes sobrio no se atrevería.

Pero también es común que un chupacaguas no baile si no toma, o que no se suelte a disfrutar de su sexualidad andando sobrio.

Resulta que el alcohol le ayuda a anestesiar sus inhibiciones, olvidarse de sus prejuicios, encuerarse física y emocionalmente y soltarse a su sexualidad.

Salvo por un problemita:

El alcohol no sólo anestesia sus prejuicios, sino también su capacidad de sentir.

Por ejemplo: una chava se echa unos vinos y entonces se anima a encuerarse, pero ya no va a sentir tanto como podría.

Madurar es entonces aprender a soltarse, encuerarse y hacer tus fantasías realidad sin necesidad del pisto.

Porque todo lo que aparentemente te permites hacer sólo con el alcohol, lo puedes hacer sin él.

Es cosa de quitar de tu cabeza las telarañas que no te lo han permitido.

El chupafaros: Es el mamón que depende del cigarro para calmarse la ansiedad.

El chupa*coffe*: Como tu servidor, que depende de esa sustancia para no quedarse jetón escribiendo este capítulo.

El chupatiempo: Dícese del sujeto que no respeta el tiempo de los demás, no le importa que tengan cosas que hacer; él sigue hablando y hablando hasta que los ordeña completitos.

El chupalástimas: Es el que se hace la víctima para seguir ordeñando al de enfrente.

Observa a tu familia. ¿Hay quienes viven chantajeando a los demás?

Diciendo: "Pobrecito de mí", o como la mamá que le dice a su hijo: "Te vas a arrepentir si me dejas. La vas a pagar… porque hay un Dios".

Pues claro, hay un Dios, ¿pero a poco quiere que te sientas culpable?, ¿no será que Dios quiere que seas feliz?

Pero al chupalástimas no le importa Dios, más bien lo usa para que el chantaje tenga poderes celestiales. Él te dirá que no ayudarle es pecado y todo lo que se le ocurra con tal de ordeñarte.

¡No te dejes manipular!

La chupaimpuestos: Pues Lolita ¿no?

Y el mamón literario: Dícese del sujeto que escribe libros como *7 principios para vivir a toda madre*.

En resumen los tipos de mamones son:

➤ El mamón emocional
➤ El mamón económico
➤ El mamón espiritual
➤ El chupahalagos
➤ El chupacabras
➤ El chupacaguas
➤ El chupafaros
➤ El chupatiempo
➤ El chupalástimas
➤ El chupaimpuestos
➤ Y yo

Y seguramente ya encontraste a qué tipos perteneces, o tal vez ya viste en qué clasificación está tu esposo, tu esposa, tu jefe o tus colaboradores.

Pero no olvides algo: para que haya tanto mamón en este mundo se necesitan muchas nodrizas.

Personas dispuestas a dar chichi con hijos propios o ajenos.

Y tampoco hay que poner como los buenos a "las nodrizas".

Las nodrizas se quejan de que los demás las exprimen, pero siguen poniéndose de "pechito" porque obtienen muchas ganancias y, una de las principales, es el control.

"Mira, yo acepto ser tu nodriza. Te doy chichi para que dependas de mí y así poder controlarte. Porque el día que no dependas de mí, tú podrías elegir irte en cualquier momento."

Pero una relación sana es de la que me puedo ir cuando me dé mi gana. Y no me voy, pero no por dependencia, sino porque quiero estar aquí.

TIPOS DE NODRIZAS:

El gerente-nodriza: Es aquel gerente que les hace el trabajo a los demás.

Muchas veces sus equipos logran excelentes resultados, pero son dependientes. Si él no está no hacen nada.

El gerente nodriza no deja que la empresa crezca.

La mamá-pareja: Es cuando en la pareja, uno de los dos, el hombre o la mujer, se comportan más como mamá que como amante.

O sea el esposo trata a la esposa como a su hija y al revés volteado.

Esto hace que la sexualidad decrezca, porque incluso cuando una mujer está en el periodo de lactancia baja el apetito sexual, toda su energía se concentra en alimentar y proteger a los hijos.

Entonces si el bebé es el marido, pues no hay sexo. ¡Sería incesto!

Igual el esposo mamá-pareja, una vez que empieza a ver a su mujer como su hija ya no la va a desear.

Por si fuera poco, hay parejas que se dicen Mijo o Mija... ¡Qué ma...mucho el sol!, ¿no?

Pero quema más la luna.

El chichi biónica: Es quien ayuda a todos; normalmente estas personas son consideradas muy buenas, casi santas, ante la sociedad, pero en realidad son unos hijos de la guayaba, controladores que anulan a los demás.

Porque hay un mensaje entre líneas.

Si yo te ayudo siempre y en todo, estoy diciendo que yo soy muy bueno, también estoy mandando el mensaje de que tú eres un inútil y no puedes hacer las cosas sin mí.

Un verdadero santo no haría nada, porque tendría una confianza infinita en que tú podrás lograrlo.

La mamá gallina: El destete es doloroso pero necesario para el crecimiento de todos; la mamá sobreprotectora también lanza un mensaje entre líneas de que sus hijos son inútiles, pero lo peor de todo es que se olvida de ella misma por seguir protegiendo a quienes necesita soltar.

ADVERTENCIA:

Si en este momento está usted por salir a la calle para pagar la multa porque a su pobre hijito de 45 años lo encerraron por manejar borracho, mejor quédese a leer el libro y haga el acto de amor más grande que puede hacer: permita que las cosas sucedan.

El acto de amor más grande será cuando con todo el dolor de su corazón permita que su hijo sea llevado a una clínica.

Le dolerá, pero será con todo su amor.

No te parece interesante que la Virgen María no cargó la cruz de Jesús y ni siquiera intervino en el juicio.

La nodriza pollito: ¿Tú crees que a veces los patos le tiran a las escopetas? Pues a veces todo está al revés volteado. ¿Te imaginas a un pollito amamantando una gallina?

La nodriza pollito es aquel hijo(a) que asume el papel que le tocaba a sus padres.

Cuida y protege a sus hermanos y a veces hasta a los papás.

Lo cual es muy desgastante para la nodriza pollito, porque se lleva una friega que no le tocaba y de pilón a veces hasta les cae mal a los hermanos, excepto, claro está, si éstos son muy mamones.

Y tal vez te preguntes: Pues si es tanta la friega para el pollito ¿por qué no deja de estar de mamá?

Jorge Cuevas

Hay muchas respuestas.

Tal vez desde pequeña, a la nodriza pollito la hicieron que cuidara a su familia.

Lo interesante es saber por qué no deja de serlo, y ahí la respuesta es más sencilla: el control.

Porque es un pollito al que le gusta ser la mamá de las gallinas. Pero eso es un degenere y se le va la vida atendiendo hijos que no son suyos.

Una mujer decía que estaba cansada, que no quería tener más hijos. Había sido mamá de sus cinco hermanos.

Hasta que entendió que ellos no eran sus hijos pudo liberarse.

Tiempo después dijo: "¡Ahora sí quiero tener un hijo mío!, no andar cuidando a los de otros".

Por eso es importante que encuentres tu lugar en la familia, y vivas de acuerdo con tus roles.

Sé hermano de tus hermanos, hijo de tus padres y padre de tus hijos.

Mamón y nodriza, ambos son esclavos, uno del otro. Mamón y nodriza están en la dependencia.

Si te comportas como mamón o nodriza, el paso más importante de tu crecimiento es el destete, animarte a enfrentar la vida o decidirte a soltar a esa persona.

Toca decirle adiós al espíritu mamón que hay en ti o despedirte del señor Control que has ejercido y no te ha permitido volar.

¿Cómo?

Primero di: **Yo soy yo.**

El bebé no distingue entre él y su mamá; cuando estuvo dentro del vientre se alimentó por el cordón umbilical, una vez que nació se empezó a alimentar de su pecho.

Para bebé, él y mamá son uno solo, y sus primeras crisis tendrán que ver con la separación, con darse cuenta de que es uno solo.

Para acabarla, cuando nazca su siguiente hermanito, se dará cuenta de que no es el único.

Y cuando entienda que es uno solo, que es único, pero que no es el único, habrá crecido un poco… y crecer duele.

Pero puedo tener 50 años y aún no agarrar la onda de que soy uno solo, que soy único y que me pertenezco.

No le pertenezco a mi esposa. Con ella comparto muchas cosas de mi vida, pero yo soy yo, y ella es ella.

Y ahí es donde vale la pena decir la oración de la Gestalt:

Pon en tu mente la cara de una persona de la que te cuesta desprenderte, una persona que está colgada de tu chichi, alguien a quien no has soltado ni dejas crecer.

O si lo prefieres, pon enfrente de ti, en una pantalla en tu mente a una nodriza, pon la cara de una persona de la que eres dependiente, que sientes mucha necesidad de quedar bien con ella, de que te apruebe y te reconozca.

¿Ya la tienes?

Visualízala bien... y dile:

Yo soy yo.

Y tú eres tú.

Yo no vine a este mundo a cumplir con tus expectativas, ni tú viniste a este mundo a cumplir con las mías.

Yo es yo.

Y tú es tú.

Y si coincidimos estará bien.

Y si no...

Yo es yo y tú es tú...

Es hermosa la oración, ¿no? Yo le hice una adaptación a la mexicana que me resulta muy liberadora.

Vuelve a poner la cara de esa persona en la mente y repite con mucha conciencia:

Yo soy yo.

Y tú eres tú.

Yo no vine a este mundo a ser como te dé tu chingada gana, ni tú viniste a ser como me dé la mía.

Lo que haga yo es mi pedo.

Y lo que hagas tú, es el tuyo.

Yo es yo.

Y tú es tú.

Si coincidimos será a toda madre.

Y si no… aquí se rompió una taza y cada quien para su casa.

Nuestras relaciones crecen en la medida en que dejamos de ser niños mamones o nodrizas controladoras. Entonces vemos a la persona de enfrente y la reconocemos, no intentamos cambiarla ni controlarla ni exprimirla, simplemente la amamos y ya.

Porque nos vemos como dos adultos que han decidido compartir ese momento.

Quizás por eso el Dalai Lama dice:

"La mejor relación es aquella en la que el amor mutuo es mayor que la necesidad mutua".

DI NO
A LAS JALADAS CULTURALES

"La educación es el proceso
de pasar un conjunto de prejuicios
por el gaznate."

Martin Fischer, escritor estadounidense

A Laura le habían dicho que era malo disfrutar del sexo antes del matrimonio; ella tenía relaciones con su novio Chuy, pero se sentía culpable y eso no le permitía soltarse.

Laura no dejaba que su novio la viera desnuda ni tampoco se daba la oportunidad de experimentar nuevas formas de disfrutar la sexualidad con él.

Pero algo la ilusionaba: una vez que estuviera casada ya tendría permiso para tener relaciones, algo así como una *licencia sexual*, y entonces todas las inhibiciones se esfumarían para dar paso a una vida feliz.

Pero... ¡oh, decepción!

Laura se casó con Chuy. Desde el punto de vista de su familia y la sociedad ahora sí podía coger legalmente. Pero la culpa no se fue, el miedo a desnudarse y los prejuicios para experimentar su sexualidad seguían más firmes que nunca.

Peor aún, cuando se convirtió en mamá, sus telarañas se enredaron más, cada vez estaba más inhibida. Primero porque tenía que ser una niña buena, después porque tenía que ser una mamá santa.

Triste historia... ¿no?

Las telarañas de Laura se fueron tejiendo a lo largo de su vida. Pero ni cuenta se dio. Su esposo Chuy no se quejaba de las telarañas de Laura, porque se enredaban perfectamente con las suyas; como Laura no quería tener relaciones, él las buscaba fuera y se le hacía lo mejor. A Chuy le habían dicho que a la mujer que amaba, a su esposa, no tendría que "faltarle al respeto", y él había aprendido que "faltarle al respeto" era vivir su sexualidad de forma intensa y creativa; sus fantasías sexuales debían hacerse en otro lado.

Además, Chuy también estaba inhibido.

No sentía.

O sólo sentía sus genitales, porque él había crecido con la idea de que "sexualidad" era igual a "genitalidad".

Y por lo tanto no se permitía sentir de una manera más completa su sexualidad, eso lo asustaba.

Sus encuentros sexuales duraban lo que el promedio en el país: 17 minutos.

Y el placer que experimentaba no era mucho más grande que el de ir a orinar.

Pero aunque no disfrutaba del sexo, éste sí cumplía un papel muy importante en su vida, porque era la forma en que reafirmaba ante sí mismo su hombría.

Esto le enseñaron:

Una mujer que disfruta del sexo	=	Puta
Puta	=	Mujer que no vale la pena
Un hombre que disfruta del sexo	=	¡SÚPER HOMBRE!
Una mujer inhibida sexualmente	=	Una mujer que vale la pena
Un hombre que no tiene relaciones	=	Maricón
El hombre debe ser productivo	=	Lo importante es el orgasmo
Placer, gozo, creatividad	=	Culpa

Igual que tú, que estás leyendo, y que yo que estoy escribiendo: Laura y Chuy fueron hipnotizados por todo lo que escucharon y vieron desde pequeños.

Las jaladas culturales son esas creencias limitantes que introducen en nuestra mente, nosotros tomamos como ciertas y terminan empobreciendo nuestra vida.

La culpa es una jalada. La justicia es mejor. ¿No crees?

Como dice Miguel Ruiz, no hay sentimiento más absurdo que la culpa.

La justicia significa que si la riegas una vez, la pagas una vez, pero el sentimiento de culpa es: *la riegas una vez y te sientes culpable toda la vida.*

Es positivo y sano pagar por lo que hacemos. Es desgarrador eternizar ese pago a través de la culpa.

La culpa te mantiene controlado. Las personas más manipuladoras usan tu culpa para conseguir sus objetivos, como aquel que te dice: "Si no me prestas dinero es que no eres mi amigo, **por tu culpa** yo no podré darle regalos a mis hijos".

La culpa es una jalada que ha entrado en tu mente y se ha convertido en una telaraña.

Una telaraña que hace que muchas veces no disfrutes porque te sientes mal: culpable de que a otros no les esté yendo tan bien.

Culpable de que no salvaste a tus hijos.

Culpable de que existan niños pasando hambre.

Culpable de lo que hiciste, lo que no hiciste y lo que deberías haber hecho.

La culpa tiene que ver con la soberbia, si le bajas y asumes que no todo está en tus manos, podrás sentirte aliviado.

¿Has oído la canción que canta Rocío Dúrcal, *Amor eterno*, en la que le está cantando a alguien que murió?

Fíjate lo que dice la letra; "Sé que pude haber yo hecho más por ti". Qué forma tan romántica de estarse rascando la herida… ¿no?

Yo creo que todos hacemos lo que podemos, lo que estamos preparados para hacer; si reconocemos que no somos todopoderosos y que las cosas que tenían que pasar son las que pasaron, entonces bajamos la guardia, dejamos de luchar, nos despedimos de la persona que se fue y soltamos la culpa.

Yo le cambiaría la letra a la canción:

"Hice lo que pude, no estaba preparado para haber yo hecho más por ti.

Me duele mucho que te vayas, pero me quedo en paz".

Y así como la culpa, hay varias **jaladas culturales**, que si las identificas podrás comenzar a desenredar tus telarañas mentales.

Tú y yo tenemos todo para vivir plenamente, para aprender, para disfrutar y para crecer.

Todos los recursos están en nosotros, pero a veces nos dejamos llevar por esas jaladas que nos han inculcado, con las que terminamos desperdiciando nuestras posibilidades.

Parafraseando a Bill O' Hanlon:

"El océano cultural en el que nadamos es inmenso. Nadamos en los anuncios de la televisión. La información que nos dan en la escuela. Las opiniones de los expertos de la prensa, de nuestros jefes, abuelos, papás y amigos. Y vamos por la vida tomando como propias todas esas ideas que nos llegan, en las que nos dicen cómo pensar y proceder. Aunque muchos de esos pensamientos y conductas sean destructivas.

Y en función de estos mensajes formamos una imagen de nosotros. Lo que es sumamente empobrecedor en una cultura como la nuestra, dominada por los medios de comunicación, los fanatismos y los políticos".

Así como la culpa:

El miedo es una jalada cultural

Hay dos tipos de miedos, los reales y los imaginarios.

Un miedo real es el que se produce en ti si tienes a un león hambriento enfrente.

El miedo es parte de nuestro equipo biológico, del instinto de supervivencia.

Pero el 95 por ciento de los miedos son imaginarios. Son provocados por fantasías catastróficas de lo que creemos que podría pasar en el futuro. Por ejemplo:

- Miedo a casarte
- Miedo a fracasar en los negocios
- Miedo a hacer el ridículo
- Miedo a no tener dinero

Aquí es donde sirve la sabiduría del pesimismo. Pregúntate qué es lo peor que podría pasar y te darás cuenta de que no es para tanto.

- **¿Tienes miedo de casarte?**

  ¿Qué es lo peor que puede pasar? Que te divorcies, ¿no? Más vale intentarlo y fracasar que quedarte paralizado, ¿no crees?

- **¿Tienes miedo de fracasar en los negocios?**

  ¿Qué es lo peor que podría pasar si te va mal? Tal vez tengas que empezar de nuevo y seguramente adquirirás mucha experiencia para futuras empresas.

- **¿Tienes miedo de hacer el ridículo?**

  Pues ése sólo se cura haciéndolo. Haz el ridículo, es terapéutico y alivianador. Haz que los demás se burlen de ti. Disfrútalo.

  El miedo al qué dirán amputa la felicidad, porque las telarañas mentales más grandes son las que hacen que pases la vida buscando la aprobación de otros.

- Y si tienes **miedo de quedarte sin dinero**, no te dejes hipnotizar, porque de hambre no te vas a morir. El miedo a no tener dinero es un chip que el sistema ha puesto en tu cabeza para que vivas permanentemente angustiado.

  Muchas personas siempre tienen dinero, pero jamás lo disfrutan porque viven en el (absurdo) miedo a la pobreza.

El sufrimiento es otra jalada

¿Sabes la diferencia entre dolor y sufrimiento? El dolor es natural, es real. El sufrimiento es inventado.

Si te cortas en la pierna con un cuchillo te va a doler, es natural, es un dolor real.

Si diez años después vives nostálgico porque te quedó una cicatriz en la pierna, eso es sufrimiento y está en tu cabeza.

El dolor está en el presente, en el aquí y ahora. El sufrimiento es vivir aferrado al pasado o angustiado por el futuro.

Viviendo el presente puede haber dolor, pero no sufrimiento.

¿Le "lele" la rodilla? Tuvo un raspón en la rodilla por una caída y prefiere sufrir y correr el riesgo de que se le infecte, pero no quiere que lo curen porque le va a doler.

No se hace exámenes porque le da miedo salir enfermo y, cuando lo hace, es tarde.

Imagínate que Ernesto quiere con Dora, se hacen novios, se enamoran y viven un romance a la mexicana (como quiera que éste sea).

Pero un día, Dora termina con Ernesto y a él le duele. Por eso vive su duelo; como Ernesto no se cree la jalada de que "dicen que los hombres no deben llorar", simplemente llora, se siente triste durante un tiempo y después se da cuenta de que estuvo bien que las cosas pasaran así. Ahora la vida le presenta nuevas oportunidades y el capítulo con Dora queda cerrado, queda en una cicatriz y "a otra cosa mariposa".

Pero supongamos que la historia fue diferente, que Ernestillo es medio aferrado, que Dora lo manda a volar, pero el dice "ni madres", "ella es para mí". Pasan cinco años y él sigue insistiendo. Pero ella lo batea una y otra vez.

Ernesto se pone una megapeda, le sale lo dramaturgo, artista y bohemio y le lleva serenata.

Él está sufriendo, pero **sufre porque quiere.**

Por supuesto que la canción que el muchacho le pide al Mariachi es *De qué manera te olvido.*

Y en ella se pueden ver muchas de las telarañas a las que nos ata la cultura.

---

* Frase y anécdota tomada de la conferencia de Liderazgo de Álex García, Premio Nacional de la Juventud.

A ver Ernesto, analicemos tu canción:

"Verás que no he cambiado". Imagínate qué jodido, ¡no cambiar!

Cuando me gradué de la universidad llegó un buen amigo muy nostálgico, me dio un abrazo y sin querer me echó la maldición: "Jorge, ¡nunca cambies!" ¿Cómo pues? ¿Me estaba deseando que continuara igual de jodido?

Si te dicen: "¡Nunca cambies!", contesta: "Mejor miéntame la madre".

La canción continúa así:

"Que estoy enamorado, tal vez igual que ayer". Vives en el pasado, mi amigo.

"Quizas te comentaron que a solas me miraron, llorando tu querer, y no me da vergüenza, que aun con la experiencia que la vida me dio, a tu amor yo me aferro y aunque ya no lo tengo, no te puedo olvidar."

Ve nomás, ¿no te da vergüenza ser tan aferrado y llevar cinco años tras lo mismo? Que por cierto no es amor, sino un berrinche.

"¿De qué manera te olvido?, si te miro en cualquier gente." Pues hay que aprender a olvidar. Memorizar no es importante, lo necesario es saber soltar el odio, el amor y los berrinches.

Como dijeron Ingrid Bergman y mi mamá Lola, de 91 años: para ser felices *buena salud y mala memoria.*

Ernesto, si no has podido olvidar solo, pues hay que ir a terapia, ¡vale la pena!

Porque si el sufrimiento lo creas en tu mente, también lo puedes desterrar.

Pero la jalada consiste en que no sólo nos inventamos el sufrimiento, sino que además lo presumimos:

"Mira qué buena mujer, ha sufrido mucho".

"No, mi abuelita ha sufrido más."

"No, mi tía es una mejor mujer, lleva veinte años siendo golpeada por su esposo… ¡y no se queja!"

"Olvídate, mi abuelito es mejor, lleva cincuenta años trabajando, manteniendo a sus hijos, hijas, yernos, nueras, nietos y nunca dice nada."

Parece que se trata de presumir. Es una competencia y gana quien ha sufrido más.

Como en el concurso de latigazos, donde participaron faquires de todo el mundo. El que recibiera más latigazos sin quejarse sería el ganador.

Decir "me rindo" era la señal para que dejaran de golpearlos.

A la final llegaron los participantes de Egipto, Rusia y México.

El primero en pasar fue el egipcio.

Un verdugo tomó el látigo y comenzó a darle con todo.

"¡Uno!", coreaba el público. "Dos", "tres", "cuatro". Fue en el quinto latigazo cuando el egipcio soltó un grito desgarrador y exclamó: "¡Me rindo!"

El ruso continuó.

Los latigazos eran en la espalda mojada.

"Uno", "dos", "tres", "cuatro"... y en el séptimo latigazo no pudo más. "¡Me rindo!", dijo, en un alarido de dolor.

Siguió el turno del mexicano.

Cada latigazo su rostro se ponía más rojo y las venas de la frente se le saltaban. Pero aguantaba estoico.

"Uno", "dos", "tres", "cuatro", "cinco", "seis"... el público mexicano coreaba entusiasmado: "Sí se puede", "sí se puede". Dos latigazos más sin quejarse y el mexicano sería el campeón.

"Siete", "ocho"...

¡Lo logró!

Y el público lo ovacionaba: "¡El mudo, el mudo, el mudo!"

Sufres porque callas.

Pero el Señor Sufrimiento, con su hermana La Culpa, te quieren invadir, se meten a tu cabeza y te dicen: "Mejor no digas nada, porque se va", "que vea que le aguantas todo", "dale muchos hijos para que lo amarres", "éste es un valle de lágrimas", "venimos a sufrir", "si no te pega no te quiere"...

¿Se los vas a permitir?

También hay necesidades que nos han inventado

Si te has dejado hipnotizar por los medios de comunicación, seguro estarás confundido entre lo que deseas y lo que necesitas.

¿Cuáles son las necesidades básicas que tenemos como seres humanos para sobrevivir?

- Comer
- Descomer
- Dormir
- Protección (techo, ropa, zapatos)

¿Y para crecer como personas?

- Sentirnos amados
- Intimidad (cercanía emocional)
- Nuestros derechos humanos
- Un trabajo digno que le dé sentido a nuestras vidas.

Sin embargo, la sociedad nos ha hecho creer en primer lugar que todos necesitamos un televisor.

Es cierto... ¿no crees?

Tú NECESITAS un televisor: ¿cómo podrías vivir sin ese aparato?, tu calidad de vida se reduciría notablemente, no estarías informado de toda la nota roja, lo cual podría traerte un gran vacío existencial.

En nuestros hogares puede no haber comida, ni dinero para que los niños vayan a la escuela, pero una televisión nunca debe faltar.

En segundo lugar, nos han dicho que para sobrevivir necesitamos Coca-cola... ¡claro que sí!, por algo somos el primer país consumidor de este "nutritivo" refresco.

También necesitas un carro, ropa *fashion* y *status*.

Tus hijos necesitan un XBOX porque si no, correrían el riesgo de traumarse y tener heridas imposibles de sanar.

Tal vez te puedas preguntar: ¿Qué hay de malo en tener un buen carro, ropa de moda, ver la tele y tomar mi refresco favorito?

Yo creo que nada.

Lo que quiero decir es que no son necesidades. Son deseos.

Y hay que tomarlos como tales, si los tienes, qué bueno, si no, también. No dependas, ni condiciones tu felicidad a tener cosas que no son indispensables, puedes vivir sin ellas y crecer sin ellas.

Eso sí, difícilmente serías feliz sin amor, sin comprensión profunda, sin intimidad. Pero con un pequeño esfuerzo puedes vivir plenamente sin ver tele, tomar Coca-cola o usar ropa de moda.

Muchos papás hipnotizados salimos todas las mañanas a partirnos la madre para ganar dinero y darle un futuro a nuestros hijos, pero los papás, lo único que les damos a nuestros hijos, es presente.

La cercanía emocional vale mucho más que el juguete de moda. Los traumas no vienen por la falta de *Nintendos*, sino de amor.

Hay niños tan pobres, que sólo tienen juguetes.

Demandan amor, protección y que les pongan límites, pero los papás les dan éxito, comodidad y soledad.

Por supuesto, si te va bien de dinero... ¡qué a toda madre! Disfrútalo y compártelo con las personas que quieres; para eso es... ¿no? Al cabo que como dice la canción: "Ya muerto vas a llevarte nomás un puño de tierra".

Pero si no lo tienes, igual disfruta.

Créelo: eres rico, ¡porque la riqueza está en tu interior! A veces tienes dinero, y a veces no.

Pero la riqueza es algo mucho más grande. Se pueden tener millones en el banco y seguir jodido.

No vales por lo que tienes.

Vales.

Simplemente, vales.

Pero tú y yo hemos escuchado esa jalada de que, para ser alguien en la vida, primero debes tener éxito económico.

Que compras cosas porque "creo que lo valgo", ¿no?

Hasta el Gato GC, de mis tiempos, cantaba: "Quisiera ser alguien, quisiera triunfar, ser gente importante y mucho ganar".

¡No manches, GC, hijo de Televisa!

La persona que está leyendo este libro y yo, ya somos alguien.

Cuando dices: "Quiero ganar mucho dinero para poder ser alguien", ya estás hipnotizado.

Sería más adecuado decir: "Yo soy alguien y valgo por el hecho de existir. Soy un humano. Y todos: mexicanos, norteamericanos, argentinos, israelíes, libaneses, iraquíes, alemanes, chinos e hindúes... ¡todos valemos lo mismo, todos somos alguien!"

Curiosamente, si te valoras y sabes que eres alguien y que mereces vivir dignamente, entonces tendrás acceso a la abundancia, y no sólo a la comodidad económica.

Si le temes a la pobreza, la pobreza te perseguirá. La pobreza es un perro rabioso que huele tu miedo y se ensaña.

Si persigues a la riqueza. La riqueza huirá de ti. La riqueza es una hermosa mujer y a los urgidos ni se les acerca.

Si disfrutas el presente y te valoras, te convertirás en una persona atractiva y la riqueza te perseguirá hasta encontrarte.

Pero si te fijas, conforme desenredamos nuestra telaraña mental, salen más y más jaladas culturales.

Porque estamos hablando de "valorarte", pero también nos han salido con el cuento de que, para ser valiosos, debemos tener el cuerpo de moda hoy en día, delgado, muy delgado.

¿Cómo le puede hacer Yola, que es de complexión robusta, y por mucha dieta que hace su complexión no cambia?

¿Cómo le puedo hacer yo, que aunque bajé muchos kilos, nunca pude adelgazar los cachetes de mi cara (porque los otros cachetes los tengo en los huesos)?

Prende un día tu tele a eso de las tres de la mañana. Te vas a encontrar con un montón de infomerciales llenos de productos como "Siluet revienta", que prometen adelgazarte sin el menor esfuerzo de tu parte.

Y no sólo eso, afirman que además de bajar de peso aumentará tu autoestima.

Pero tu autoestima aumenta en la medida en que te amas, te aceptas y te respetas.

La ideas que nos venden son:

"Tienes que estar delgado(a) para que te ames a ti mismo", "tienes que estar delgado (a) para ser digno de amor".

En vez de: "Tú eres digno de ser amado, peses lo que peses".

"Ámate a ti mismo y, si lo deseas, adelgaza, es bueno para tu salud".

Y otra gran jalada cultural de la que nos hemos creído la idea:

Hacer las cosas a la mexicana

Veamos tres interpretaciones:

1. **Interpretamos "hacer las cosas a la mexicana"** como hacerlas de forma corrupta.

Por ejemplo:

—Compadre, supe que te paró un agente vial.
—Sí, pero no hay problema, lo arreglé a la mexicana. Le di una mordida* al agente.

Asociamos hacer las cosas a la mexicana con la transa.

Como cuando Bill Clinton, Margaret Tatcher, el papa y Carlos Salinas iban en un helicóptero.

El helicóptero comenzó a fallar y los pilotos les hicieron saber que tenían un solo paracaídas, y por lo tanto sólo uno sobreviviría.

Thatcher, el papa y Salinas argumentaban por qué debían ser ellos los que se salvaran, cuando Clinton tuvo una idea:

—¿Por qué no decidimos democráticamente?

Sacaron una urna y todos emitieron su voto.

El ganador fue Carlos Salinas, quien se puso el paracaídas y se salvó.

---

* Soborno.

Antes de estrellarse Clinton comentó:

—Yo aceptar el resultado de las elecciones, pero seguir sin entender cómo es que Carlos Salinas obtener 20 votos.

2. **Interpretamos "hacer las cosas a la mexicana"** como hacerlas **de forma gandalla.***

Como el americano, el alemán y el mexicano que andaban perdidos en el desierto y sólo tenían una Pepsi familiar para los tres.

El americano opinaba que se la tomaran en partes iguales, pero el alemán le explicó que de esa forma se morirían los tres de hambre, que lo más conveniente era que hicieran una competencia y el que ganara se tomaría la Pepsi completa y por lo tanto, sobreviviría.

Entonces hicieron una competencia de salto libre. El que brincara más distancia sería el ganador.

El primero fue el americano. Corrió, corrió y brincó dos metros.

—Y eso que estoy lesionado de un tobillo— dijo.

Después siguió el alemán. Corrió, corrió y saltó tres metros y medio.

---

* Abusiva.

—Y eso que estoy lastimado de la rodilla— se excusó.

Llegó el mexicano. Corrió, corrió y brincó cuarenta centímetros.

—Y eso que me acabo de tomar una Pepsi familiar— concluyó.

3. **También interpretamos "hacer las cosas a la mexicana"** como hacerlas de forma chafa.*

Por ejemplo:

—La tele no agarra bien la señal.

—No hay bronca, hazlo a la mexicana, ponle un gancho.

O sea que las cosas a la mexicana son cosas hechas con una buena dosis de ingenio, pero sin tecnología, parchadas y nomás pa' salir al paso.

Como el mexicano, el francés y el italiano, quienes estaban medios pedos presumiendo sus hazañas sexuales.

El italiano comentó:

—*¡Prego!* Yo le puse música napolitana a mi mujer, le di un masaje con aceites aromáticos y la hice gritar durante diez minutos.

El francés dijo:

---

* Corriente o hechiza.

—¡*Uh, lalá!*, yo degusté un vino con mi mujer, le di masaje con frutas y chocolate, besé todo su cuerpo, le unté aceite del placer y la hice gritar veinte minutos.

Y el mexicano les explicó:

—Yo hice gritar a mi mujer durante dos horas.

El francés y el italiano estaban sorprendidos y querían saber la receta, ¿cómo lo hiciste?

—Le di un masaje con mantequilla... y me limpié las manos en las cortinas de la casa.

En resumen: entendemos que hacer las cosas a la mexicana es hacerlas con una buena dosis de ingenio (lo cual es muy bueno), pero siendo corruptos, gandallas, chafas y hechizos (que es lo malo del asunto).

Pero... ¿Quién es primero, el huevo o la gallina? ¿Realmente así somos los mexicanos? ¿O nos hemos creído tanto esta etiqueta que terminamos por portarnos como si lo fuéramos?

Sea como sea, hay que cambiarnos ese casete. Si nos han inculcado esta jalada, ¿por qué no creernos una idea diferente de lo que somos? ¿Por qué no pensar distinto? ¿Por qué no creer que hacer las cosas a la mexicana es hacerlas de forma chingona, con creatividad, siendo auténticos y con un toque personal?

Antes de la Segunda Guerra Mundial los productos japoneses eran considerados sinónimo de baja calidad, hoy los asociamos con cosas muy distintas.

Pero los japoneses tuvieron que creérsela primero, después se la creyó el resto del mundo.

Los mexicanos somos campeones en hacer mucho con muy poco, somos creativos y le sacamos provecho al más mínimo recurso. Un maestro de obra mexicano es capaz de checar un nivel con una manguera.

Un mexicano inventó la tele a color: Guillermo González Camarena.

Otro mexicano, Octavio Paz, fue Premio Nobel de Literatura.

Carlos Fuentes ha ganado múltiples reconocimientos y es valorado a nivel mundial.

Once mexicanos fueron campeones del mundo en la categoría Sub 17.

Una mexicana, Lorena Ochoa, es ahora la mejor golfista del mundo.

No hay un país como México, en donde el doble sentido es tan rico. Todo lo podemos relacionar con el albur, sabemos reírnos de la muerte y burlarnos de las desgracias. ¿Quién dijo que la vida tenía que ser tan en serio?

Además, el doble sentido es una muestra de inteligencia, porque todas las cosas tienen más de una interpretación. La gente estrecha de pensamiento cree que las cosas tienen un solo significado; la gente inteligente sabe que la moneda siempre tiene dos caras. Una cara de la moneda es que en México hay corrupción y gandallismo, pero la otra cara es que hay mucho talento, creatividad, inteligencia y recursos humanos y naturales.

Y un problema que tenemos es que no creemos en nosotros y nos la pasamos jodiendo al que le va bien.

Somos buenos para las competencias de resistencia, pero somos más buenos pa' chingar al prójimo.

Al local. Porque como anfitriones somos excelentes, y qué bueno, pero "en casa del herrero, azadón de palo".

Si nos tratáramos a nosotros como tratamos a los extranjeros, otro gallo nos cantaría.

En México hay mucha envidia, nos arde que a alguien le vaya bien y nos lo comemos vivo, como si el éxito fuera pecado.

Durante la dictadura de Franco muchos españoles llegaron a México con una mano atrás y otra adelante… sin nada. Pero trabajaron duro, pusieron negocios y se han hecho ricos.

Ellos se apoyaron, lucharon y sabían que podían hacerlo.

Se sabían ricos y sólo lucharon para no perder el *status*.

El problema es que los mexicanos nos creemos pobres, y a pesar de toda la riqueza humana, cultural y energética de nuestro país, no nos hemos quitado la etiqueta.

Y ahí está la jalada, ya pasaron siglos, y los mexicanos todavía creemos que los españoles nos conquistaron. ¡Pura madre!

Los españoles conquistaron a los aztecas.

Los españoles y los indígenas se mezclaron. O sea que los mexicanos somos una mezcla de conquistador y conquistado, somos las dos cosas y a la vez ninguna.

Porque las conquistas, guerras santas (que de santas no tienen nada), guerras mundiales, secesiones, Vietnam, Afganistán, Irak y anexas, son producto de lo hipnotizados que vivimos.

Prefiero a Costa Rica, que no tiene ejército.

No veas si nos conquistaron o no, ve la enorme herencia cultural que tenemos.

Ya es hora de que dejemos el lugar de víctima, que nos encanta tomar, y que valoremos este país y toda su riqueza, de la que no acabaría de escribir.

¿Quieres cocina? La cocina mexicana es variada, diferente en cada zona. La poblana, oaxaqueña, michoacana, jalisciense.

¿Quieres vino? De entrada el tequila, que en los últimos años ha tenido un control de calidad increíble, que, igual que el coñac, tiene la denominación de origen y que es una bebida que está de moda a nivel mundial.

¿Quieres deporte? Guardado, Márquez, Giovanni, Salcido, Pardo, Osorio, Moreno y compañía están compitiendo en Europa.

Hugo Sánchez figura en el equipo ideal del Real Madrid de todos los tiempos.

Javier Aguirre ha triunfado en Europa y ni qué decir de las mujeres: Lorena, Iridia, Belén, Ana Guevara y compañía.

El problema no es que las cosas sean a la mexicana, sino que nos hemos dejado hipnotizar.

¡Despierta!

No todo es malo. "A la mexicana" es sinónimo de que se puede combinar: hacer las cosas bien y divertirse. Y de ser creativo, de aprovechar los recursos que se tienen, de felicidad. Porque a fin de cuentas somos uno de los países con mayor índice de felicidad en el mundo. Claro que al Fondo Monetario Internacional le interesa más el Producto Interno Bruto pero a mí me importa más mi felicidad. No sé a ti.

Porque la otra cara de la moneda de muchos países superdesarrollados es que cuentan con los índices de depresión más altos.

Las personas viven una inmensa soledad.

No te dejes hipnotizar por la idea que te venden del progreso. ¿Es progreso estar en guerra por el petróleo?

El progreso será tal cuando traiga menos depresión y más felicidad. Cuando aprendamos a ver a los demás como personas y no como números, cuando lo primordial en la sociedad deje de ser la producción, el Estado, la tecnología o el capital y lo más importante sea la persona (como diría Emmanuel Monier).

Los mexicanos también somos sinónimo de alegría y calidez en todo el mundo. Somos un país donde aún hay quien ayuda a un desconocido. Y eso, no tiene precio.

Con todos estos antecedentes, podemos decir que cocinar a la mexicana es abrir tu refrigerador, ver con qué ingredientes cuentas, usar todo tu ingenio y hacer una comida deliciosa.

Entonces SER EMPRESARIO A LA MEXICANA es lograr mucho con pocos recursos, comenzar sin capital, sólo con algunas ideas y así construir una gran empresa.

Ser EMPRESARIO A LA MEXICANA es usar toda tu creatividad para dar los mejores resultados.

Y a fin de cuentas, VIVIR A LA MEXICANA significará abrir tus ojos, ver con qué recursos cuentas, usar todo tu ingenio y hacer una vida plena.

VIVIR A LA MEXICANA no es vivir bajo receta, es usar tu olfato y creatividad para sacarle provecho a todo tu potencial.
Sigue este principio:

Di no a las jaladas culturales:
A la culpa
Al sufrimiento
Al miedo
A ser esclavo de cosas que no necesitas
Y a creer que hacer las cosas a la mexicana es negativo

Di sí al perdón
A vivir el presente
Al riesgo
A vivir con lo que tienes
Y a ser feliz "a la mexicana"

DEJA LA MENTALIDAD DE TELENOVELA Y DESPIERTA A TU NACO INTERIOR

Prefiero ser un hombre completo
que un santo.

CARL JUNG

¿**H**as visto cómo son las telenovelas?...

En los personajes hay una villana y una buena.

La villana es una auténtica cabrona. Y la buena es una beata, santa, casta y pura.

En la villana no cabe ni poquita bondad, en la buena jamás fue sembrada la semilla del mal.

Catalina Creel era fría, calculadora y mala como el que más.

Rosa Salvaje y María Mercedes más buenas que la Madre Teresa.

El mundo de las telenovelas es un mundo de malos y buenos, donde las personas están de un lado o del otro. No hay medias tintas.

Pero el mundo real no funciona así, todos tenemos un villano interior y un bueno interior.

Somos las dos cosas al mismo tiempo y somos mucho más que eso.

Quizás hay algunas cosas más oscuras y otras más claras en nuestra personalidad, pero no somos blanco o negro, somos a colores y llenos de matices.

A veces podemos ser cabrones, a veces muy bondadosos.

Crecer tiene que ver con conocernos, con reconocer nuestras luces y oscuridades y entender qué hacer con ellas.

Saber cuándo, dónde y con quién utilizarlas.

Hay veces que ser cabrón te ayuda a protegerte, y hay otras en que te aleja de las personas que amas. Ser cabrón no es ni bueno ni malo, más bien es conveniente en algunas ocasiones y perjudicial en otras.

Imagínate que los papás de Carlos se divorcian.

Bajo el esquema de "los buenos y los malos", la mamá de Carlos considera que ella fue la buena de la telenovela. Fue una madre entregada y abnegada. Sumisa y hacendosa. En cambio el papá fue un cabrón. Fue infiel, no la trataba con cariño, al contario, la ignoraba y sólo exigía que las tortillas estuvieran calientes cada que iba a la casa.

Después del divorcio, Carlitos se queda a vivir con su mamá, quien le repite hasta el tuétano que su papá vale madres.

Carlos ha terminado por odiar a su padre por haberlos abandonado.

Su padre quiere acercarse un poco más, pero ni Carlos ni su mamá lo permiten.

Efectivamente, el papá de Carlos ha sido un cabrón, pero la mamá no fue una santa. Para que un matrimonio fracase es necesario que los dos la rieguen.

Podemos ver las cosas desde un punto de vista distinto.

Es cierto, el papá fue infiel, pero la mamá también.

Cuando Carlitos nació, la señora se volcó en atenciones al niño, tanto, que se olvidó de ella misma. Despertó toda su maternidad, pero de ahí en adelante dejó dormida su sensualidad, su rol de pareja y, por lo tanto, no le dio su lugar al esposo.

Se volvió una madre abnegada, pero abandonó su lugar como mujer.

Engañó a su esposo.

¿Con quién?

Con Carlitos.

El esposo se alejó y buscó afuera el calor que no encontró en casa.

No estoy queriendo justificar al señor, tampoco pretendo juzgar a nadie. Lo que quiero decirte es que ni el señor es un completo hijo de puta ni la señora una santa.

Ambos son seres humanos. Ambos colaboraron por partes iguales para que el matrimonio no funcionara.

El problema ahora lo tiene Carlitos, porque ama a su papá, pero cree que es un cabrón y no lo honra ni se le acerca. El papá se separó de la mamá, pero la señora le ha vendido la idea a su hijo de que los abandonó, lo cual no es cierto, en dado caso la abandonó a ella, pero no al niño.

Supongamos que Carlos ya tiene 18 años, ¿qué le toca?

Yo creo que aprender a amar a su padre tal como es (es la única forma de amar a las personas) y quitarse de en medio, porque el peor lugar para un hijo es estar en medio de papá y mamá.

Carlos ama a su madre al estilo telenovela, la ama porque es infinitamente buena. Tal vez un día abra los ojos y deje de idealizarla. Descubrirá que mamá no sólo es luz, sino también sombra, y entonces podrá amarla de una forma más completa.

Pasa como con las novias, cuando estamos en el enamoramiento sólo amamos la luz, que es lo único que vemos.

Pero cuando veamos su luz y su sombra, a toda ella, y podamos no juzgarla sino aceptarla, entonces la amaremos completa.

La mentalidad de telenovela hace que juzguemos y etiquetemos a las personas. Hace que digamos que Juan es un cabrón, Lorena una piruja, Roberto un naco, Fernando un fresa y Rosa una buena mujer.

Y que nos amarguemos la vida buscando ser los buenos de la película, amputándonos muchas posibilidades que hay en nuestro interior.

Porque todos los personajes, los que odias y los que amas, los que te divierten y te aburren, los que te dan paz y los que te llevan al vértigo, ¡todos viven en tu interior!

¿Vives en una telenovela?

¿Crees que eres el bueno o el malo?

¿Que tu suegra es la mala y tú el bueno?

¿Que tu esposa la cabrona y tú el santito?

¡DESPIERTA!

Cámbiale de casete.

Ya no te la creas... En ti hay un cabrón y un santo. Una piruja y una mojigata.

Un naco y un fresa. El bufón y el serio. El criticón y el discreto. El rudo y el tierno.

Crecer radica en despertar todo tu potencial y usarlo cuando lo necesitas.

Ningún personaje es bueno, ninguno es malo.

Hay momentos en que unos te ayudan a crecer, hay momentos en que te perjudican.

Por eso:

Despierta a tu naco

Tal vez tú has dicho: "Mira qué naco es ese tipo, con pantalón negro, zapatos de vestir y calcetines blancos".

Si te molesta, si te duele, si te mueve, es que algo tiene que ver contigo.

Es un espejo, y si te choca, te checa.

Pregúntate: "¿Qué tienes tú de mí que me caes tan gordo?"

Como un día que le dije a un tipo:

—Estúpido— y él me respondió:

—Mucho gusto, yo soy Andrés.

Las personas a las que insultamos son espejos.

Naco (nacohatl) viene del náhuatl y significa "de aquí", o sea, naco es "nativo".

Así les llamaban en la época de la Colonia a los indígenas.

Una parte de mí viene de los indígenas, y considerando que nací en México, indudablemente soy un naco... ¿tú no?

La cosa es que naco, hoy, es un término despectivo que se usa para nombrar a personas que supuestamente no tienen educación o que son de clases bajas o no se visten *fashion*, sino que rayan en lo ridículo desde el punto de vista de la gente *cool* o gente bien, o de los fresas.

Jorge Cuevas

Se supone que el naco tiene mal gusto, pero ¿desde el punto de vista de quién?

Despertar a tu naco interior, por un lado, es despertar el orgullo de ser "de aquí".

Por otro, es desmarcarse de los estereotipos y de la preocupación por mantener el *status*.

Escuchar la música que te guste aunque sea "naca".

Supuestamente ser naco es lo contrario de ser fresa, pero a mí me gusta más lo paradójico.

"La onda es ser naco", diría un fresa ericksoniano.

"Lo más naco es aparentar ser fresa."

Si te dicen que eres naco, di que sí.

A fin de cuentas "eres de aquí", ¿no? Ahora que, si andas en Japón, pues allá no eres naco, eres extranjero.

En el equipo de futbol en el que juego hay un chavo que se enoja y le grita al árbitro: "¡Eres un naco!, ¡eres un *loser*! Por eso eres árbitro, porque no pudiste triunfar en nada más".

Soy del equipo y me da pena que grite eso. Si naco es tener mal gusto, pues para mí el naco es él; no el árbitro.

¿Pero sabes cuáles son los mejores gustos? Para ti, los tuyos. Y para mí, los míos. Y si nos respetamos, pues ya la hicimos.

Despierta a tu cabrón (a) interior

En tu interior también yace una persona, que sabe poner límites y mandar a la chingada a quien tenga que hacerlo.

Como en todo, el justo medio es que busques en qué momento vale la pena ser cabrón y en cuál no.

En ocasiones basta con ser un poquito cabrón, siempre hay matices.

Porque si eres puro cabrón, te vas a quedar solo, no vas a vivir la dulzura y tu vida va a ser muy limitada.

Si necesitas ponerle un alto a tu novio, hazlo, pero no te la vivas a la defensiva sin permitirte disfrutar de su compañía. En ese sentido me gusta mi esposa, porque es cabrona y dulce a la vez. O sea, dulcemente cabrona.

Despierta a tu piruja (o) interior

En ti y en mí habita la sensualidad, esa parte nuestra que quiere gozar su sexualidad al máximo.

Si eres de las personas que critican a quienes disfrutan de su sexualidad sería bueno que te preguntaras si no te da envidia.

Porque igual, si no te diera coraje, ni los criticarías. En ese caso puede que tu piruja interior esté dormida y se oculte detrás de una máscara de mosca muerta.

Y es feo ser mosca muerta, lo de menos es ser mosca, la bronca es estar muerta.

Por eso es hermoso ver cómo muchas moscas muertas reviven.

Y entre más mojigatas fueron, más ardientes se convirtieron (quedó en verso sin esfuerzo).

Tú eres dueña y dueño de tu sexualidad. Tú eliges. Como todos tus personajes interiores, ser pirujo o piruja en exceso puede no ser lo más agradable.

Por ejemplo: tú sabes que la ninfomanía es una patología. Si tengo sexo y quiero más sexo y busco más sexo, ¿qué significa?

Que estoy permanentemente insatisfecho.

Cuando un hombre tiene tres mujeres, hay varios mensajes. Aparentemente es un cabrón con su pirujo interior exaltado, pero eso sólo es la fachada. Tal vez es alguien que no ha encontrado lo que busca en su pareja. Tú eliges cuál es el justo medio y así puedes ir despertando todas tus partes.

Y tu autoestima crece conforme las aceptas y las integras, porque en ti hay muchísima riqueza interior. Hay una risa. ¡Despiértala!, aunque la gente diga que eres muy serio, en ti está la capacidad de reír y disfrutar.

Y si las personas dicen que eres muy payaso, te aseguro que también puedes ser serio cuando se necesite e integrar estas dos partes.

No es mejor ser serio, no es mejor ser payaso. Es muy adecuado ser serio o payaso en el momento en que lo necesites.

Despertar estos personajes que habitan en tu interior es cuestión de que:

1. Lo pongas en tu mente
2. Busques en tu interior
3. Realices acciones que te ayuden

Por ejemplo... si tu risa está muerta, ¿cómo la puedes revivir?

1. PONLO EN TU MENTE: Reencuadra las cosas. Ve la cara alegre de la moneda que no te has permitido conocer.
2. BUSCA EN TU INTERIOR: Ahí está la risa, no requiere motivos para activarse, ahí está, sólo ríete. La mejor risa es cuando te ríes de la nada.
3. ACCIONES: Ve películas o asiste a espectáculos que estimulen tu risa. Si está dormida y rentaste hoy *El exorcista*, *Exterminio* y *Hostal*, no creo que se despierte.

Despertar requiere trabajo. Tus partes creativa, divertida, firme, tierna y amorosa están esperando a que las actives.

Por supuesto, en ti también hay una parte chismosa, bobalicona*, víctima y soberbia.

Pero hasta tus más grandes sombras, bien utilizadas, pueden ser positivas.

Ayuda mucho esto de los personajes, porque puedes tomar conciencia. Es muy sencillo: sólo prende la tele, busca al que más gordo te cae y de seguro que será un maestro y traerá una enseñanza para ti.

Por ejemplo, yo prendo la tele y veo "Ventaneando".

¡Me choca!

"Ventaneando" es un programa que refleja la desafirmación que no nos deja crecer. Es un programa dedicado a chismear, "vivorear" y, en pocas palabras, comerse vivo al prójimo.

"Ventaneando" fue un éxito desde que salió al aire. Fue uno de los exitosos programas que le ayudó a TV Azteca a competir con Televisa (supuestamente para mejorar la TV mexicana, pero, más bien, a competir para ver cuál es más chafa).

Fue tal el grado de éxito de "Ventaneando" que en los programas de revista, en la radio, en la tele

---

* Habladora.

y la prensa, se ha seguido la misma línea: el chisme y la destrucción.

Me choca... y me checa.

Porque yo también tengo a mi "Paty Chapoy" interior; es esa parte criticona y tijera que llevo dentro.

Por eso, gracias TV Azteca, su programa me ayudó a conocer mi sombra*.

Ahora lo que hago es dosificar y matizar mi "Paty Chapoy" interior, convertirla en mi aliada.

¿Para qué me sirve mi "Paty Chapoy" interior?

Me sirve para curiosear y aprender, también para sacar mis envidias.

¿Cómo y cuándo me conviene dejarla expresarse?

Fíjate, mi "Paty Chapoy" interior a quien más critica es a mí mismo.

Si quiero escribir y si traigo a mi "Paty" activada, olvídate, no escribo nada. Porque me regreso a criticar cada renglón y me autosaboteo.

Me conviene apagarla mientras escribo y no criticarme, sólo escribir y fluir.

Pero una vez que termino el texto, necesito a mi "Paty" para pulir el trabajo, necesito criticarlo, destrozarlo, comérmelo vivo.

---

* Una sombra es algo de mi personalidad que no me gusta reconocer.

Porque al criticarlo encuentro los defectos y por lo tanto lo puedo mejorar.

Gracias, "Paty Chapoy" interior.

Y seguramente tú también tienes una "Paty Chapoy interior".

Una parte chismosa y criticona. ¿Te está sirviendo para crecer o para alejarte de las personas?

Porque si la integras y te la haces aliada te traerá grandes beneficios. Si eres decoradora, dale gracias a tu "Paty". También si eres auditor o corrector de ortografía y estilo.

En lo que hay que tener cuidado es que, si no la sabes desactivar, nunca crearás nada.

Y si no la activas no podrás detallar ni pulir tu trabajo.

Cámbiale al Canal del Congreso y seguramente encontrarás todas tus partes oscuras.

Un día dejé prendida la tele, precisamente en el Canal del Congreso, y de pronto comencé a escuchar: "¡Huevón!", "¡baboso!", "¡transa!", "¡loco!", "¡honesto!", "¡líder!", "¡pendejo!", "¡hijo de la chingada!", "¡tacaño!", "¡ratero!", "¡estadista!" Pensé: "Seguro se están peleando", pero no, estaban pasando lista.

En cualquier figura pública puedes encontrar algo de ti.

Si te cae mal Fox, es tu maestro, te está enseñando acerca de ti mismo. Tal vez te refleja que hablas cuando no es conveniente o te falta tacto.

Mi "Fox" interior me sale cuando me estoy peleando con mi esposa y, por no callarme cuando me convendría hacerlo, digo una tontería y hago más grande el problema. Hablo y hablo hasta que se contenta, y sigo hable y hable hasta que se vuelve a encabronar.

¿Tu "Fox" interior cuándo se activa?

¿En qué ocasiones hablas hasta que la riegas?

Si te cae mal **Angélica María**, es tu maestra.

Te refleja a tu cursi interior. Quizás tú eres dulce y tierno (a), pero tus prejuicios no te dejan expresarlo plenamente.

Si "el Peje" es al que no tragas, no te preocupes, en ti también hay muchos rasgos de él. Descubre tu **"peje"** interior, esa parte de ti manipuladora y chantajista.

¿A poco no conoces a muchos "pejes" en las familias mexicanas?

Personas que se hacen las víctimas y dicen que toda la familia ha hecho un "compló" en su contra.

Si no soportas al "Peje", probablemente eso te está diciendo que no te hagas la víctima y tomes la responsabilidad de tu vida.

Y así, cambiando nuestra mentalidad de telenovela podemos ver que no tenemos enemigos, que quienes nos caen mal no son más que maestros, espejos que nos permiten ver nuestras sombras.

Y quienes nos caen bien, también son espejos, son personas con las que nos identificamos y de las que es más fácil aprender.

Lo que sigue es reconocer nuestras luces y nuestras sombras e integrarlas a nuestra vida.

Saber que los demás son valiosos con su luz y su sombra, y que nosotros también.

Una persona con *mentalidad de telenovela* idealiza, y por eso fácilmente se decepciona.

Busca la perfección en los demás y a la menor contradicción se desilusiona.

Son personas que dicen: "Te me caíste del pedestal", como si las personas tuvieran que ser ídolos en vez de seres humanos.

La persona con mentalidad de telenovela dice: "El país va bien" o "el país va mal", y no contempla la posibilidad de que el país va bien en algunas cosas y mal en otras.

Ni que ser un país superdesarrollado tiene sus desventajas, y no serlo tiene sus ventajas.

Una pareja con mentalidad de telenovela dice: "Estamos bien o estamos mal", "blanco o negro", y eso los vuelve rígidos.

¿Por qué no decir "estamos bien y también estamos mal" o "ni estamos bien ni estamos mal" o mejor aún, "estamos creciendo en nuestras diferencias y coincidencias" o "te amo porque te pareces a mí y te odio porque te pareces a mí".

Un futbolista dijo: *"No tengo por qué estar de acuerdo con lo que pienso"* y aunque racionalmente es irrisorio y fatal, existen contradicciones en todos nosotros. Por eso me encanta la declaración de autoestima de Virginia Satir, porque dice: "Acepto mis contradicciones", pues no soy una etiqueta, soy una persona en constante cambio.

Ayer fui serio, hoy soy un payaso. Anteayer fui sencillo, quizás mañana sea un presumido. Ayer estuve triste, hoy alegre, mañana ¿quién sabe?

La paz no la encuentro en no cambiar, sino en la capacidad de mantenerme sereno en medio del movimiento, de entender que mi ser está más allá de mis cualidades o defectos, mis luces o sombras. Mi autoestima no sube en la medida en que me convierto en un santo, sino en función de que acepte que soy un santo y también un cabrón y soy mucho más que eso.

Las telenovelas que vemos en nuestras casas, escuelas, trabajos y hasta en la tele nos quieren amaestrar para vivir en un mundo perfecto, con una verdad absoluta, con certidumbre, en dos dimensiones y a blanco y negro, pero el mundo es incierto, multidimensional, a colores y con muchísimos matices.

La mentalidad de telenovela nos ha colonizado y aquí va mi propuesta para el nuevo grito de independencia.

Jorge Cuevas

¡Viva México!... ¡Viva!

¡Y vivan todos los países!... ¡Vivan!

¡Viva el respeto a todos los colores, ideologías y religiones!... ¡Vivan!

¡Viva tu suegra!... ¡Viva!... ¡Y la mía también!... ¡Viva!

¡Vivan el riesgo y la posibilidad de cambiar, de pensar diferente, de que mis estructuras mentales se remuevan!... ¡Vivan!

¡Viva la tolerancia y viva en tu corazón y en el mío un mundo con menos guerras en el que aprendamos a aceptar nuestras diferencias y a ser felices aunque las cosas no sean perfectas!... ¡Viva!

¡Vivan la duda y la confusión!... ¡Vivan!

Porque cuando te confundes y dudas, significa que tus resistencias se han debilitado y que estás abierto a crecer, ¿o no?

Porque vale la pena descubrir que estás perdido... Si no ¿cuándo empezarías a buscarte?...

Bien lo dice mi cantinflas interior:

La perfección no es que todo esté bien.
Porque que todo esté bien es una ilusión.
Que todo está mal es otra ilusión.

Todo está como está... ¿o no es cierto?, ¿no es cantinflas un auténtico súper sabio?

De cualquier forma, la plenitud está en la imperfección. O quizás en el perfecto equilibrio de imperfecciones.

¿Qué te parece, chato?... ¿quedó todo claro?...

Porque la idea es que no.
   ¿O que sí?
   ¿O no lo sabemos?
   ¿O las tres cosas?...

¿Ya te mareaste?

Yo también.

Entonces, ¿Por qué no nos permitimos sentirnos mareados?, porque no sé si sepas que esta noche, cuando tus pensamientos de telenovela duerman y tus ojos despierten, un milagro sucederá.

COMENTARIO FINAL DEL AUTOR

Me divertí mucho escribiendo este libro, pero hoy lo leí todo y me di cuenta de que las payasadas que escribo las digo en serio. Son las cosas de las que hoy en día estoy convencido y por supuesto, al igual que tú, mañana puedo cambiar.

Escribí este libro unos meses después de haber vivido un episodio familiar doloroso y complicado. Primero hice junto con mi hermano la novela *París te marca*, en la que ambos narramos una experiencia intensa, y luego escribí *Crecimiento personal a la mexicana* para relajarme, y llegué a la conclusión de que el crecimiento personal tiene que ser muy abierto, porque no se trata de dar consejos para que los lectores se vuelvan perfectos, sino de compartir ideas para que cada quien vaya encontrando su propio camino. Lo más que puedo hacer es hablar de lo que siento y pienso, ponerle corazón, y si eso te es útil, dependerá de ti.

No podría recomendarte que seas perfecto y no digas majaderías, porque yo no vivo eso. Más bien te puedo compartir que estoy en proceso de aceptarme como soy: imperfecto, y que me siento más yo cuando digo chingaderas.

He oído que las mujeres no deben decirlas, pero yo las aprendí de mi mamá y mi abuela, y me encanta cómo se les escuchan. A mi esposa le encantan las majaderías y me hubiera costado un poquito más de trabajo compartir mi vida con una mujer que no las dijera.

Cuando escribí *París te marca*, un amigo me hizo el comentario de que no era conveniente que me desnudara emocionalmente en una novela, que el público reconocería mi fragilidad y mis sombras y que yo era un motivador, y que un motivador debe ser ejemplo. Se lo agradezco mucho pero ni madres que estoy de acuerdo, porque en primer lugar no soy motivador. ¡Dios me libre! La palabra motivador está muy sobada en temas de crecimiento personal. Si yo le digo a alguien: "Tú eres mi motivador", le estoy dando mi poder personal. Él es quien me motiva, y yo sólo soy un títere. El crecimiento personal se trata de lo contrario, de que cada uno de nosotros se haga responsable y tome las riendas de su vida. Sea su propio motivador. Queremos gente responsable, no "mesías motivadores" y "borregos seguidores".

"Entonces, si no eres motivador... ¿qué eres?" "¿Soy Jorge, y tú?" "Mucho gusto".

Creo que el crecimiento personal no se trata de buscar la perfección, sino de encontrarte a ti mismo, y lo que puedo compartir contigo es que en los últimos años he intentado mentar un poco más de madres (antes me quedaba con mis corajes guardados) y esto me ha resultado muy liberador.

También he tratado de aflojarme más. Tiendo a ser necio al grado de romperme la madre por aferrarme a lo que quiero. Por eso mi reto ha sido equilibrar: "flojito y cooperando". También estoy tratando de dejar de hacerme pendejo y tomar más conciencia de qué pasa conmigo.

Trato de ya no ser tan mamón, sino ser auto-dependiente y hacer equipo. Quiero quitarme las telarañas del cerebro y despertar partes de mí que están dormidas o cuando menos modorras. De hipnotizarme del estereotipo de una vida común y disfrutar de mi situación actual, sea la que sea.

Por eso escribí este libro.

Perdón, por eso me escribí este libro.

Para leerlo y decirme lo que necesitaba escuchar.

Tal vez tú te identificaste conmigo y estas líneas te sirvieron, y con eso me siento muy realizado, porque coincidimos en algún punto del camino. Tal vez tú le vas a las chivas o yo soy masoquista, pero nuestras diferencias también nos fortalecen.

Te mando un fuerte abrazo...

Y que sigas viviendo a todísima madre.

JORGE CUEVAS

locos@jorgecuevas.com

Quiero agradecer a las personas con las que puedo compartir el humor y la alegría por la vida.

A Yazmín, mi esposa, ¿qué más puedo pedir? Belleza y sentido del humor.

A mi hija Sofía, que aparte de inteligente y hermosa es chistosísima. (Lo dice papá ¿verdad?)

A mi papá, de quien heredé la capacidad de decir malos chistes y buenos sarcasmos y fue mi asesor en la revisión de este libro.

A mi mamá, por su alegría.

A mi hermano Luis, por su risa estruendosa.

A mamá Lola, de quien heredé las convulsiones de risa.

A mi suegra, a quien creo que le parezco simpático.

Por supuesto que a todos mis amigos, los que tengo la oportunidad de ver seguido y los que no veo mucho, pero en su momento hemos compartido momentos que me han alimentado para escribir este libro:

Marco, Omar Exiquio, Fer, Paco, Pável, Edgardo, Beto, Ceci, Jules, Edwin.

A mis primos Mikey y Joan y todos los cuates del Atlético San Pancho, el Zurich y los Leones Negros.

A Karina, Víctor y Diana que aguantan y hasta se divierten (creo yo) con mis payasadas en la oficina.

A Roberto Hernández, quien hizo las caricaturas incluidas en este libro.

A mis colegas y maestros (conferencistas, amigos y locos) que se han abierto y me han permitido aprender mucho de ellos: Cuau, Alex, Poncho, Adriana, Julio, Armando, Edwin.

A mi distracción, que me ayuda a reírme de mí casi a diario. (Sobre todo cuando dejo las llaves en el refrigerador.)

Y a Dios, muchísimas gracias, porque has puesto todo en la mesa para servirme una vida con mucho sabor.

También quiero agradecer a todas las personas de Grupo Planeta y Editorial Diana que han creído en mi trabajo y hacen posible que este libro se publique y llegue hasta los lectores. Sandra, Gabriel, Doris, Daniel, Sergio, señor Nava y todo el equipo de ventas.

Y agradezco de manera muy especial al señor José Luis Ramírez, quien me abrió las puertas para escribir y ser publicado, hace ya algunos años.

Más que una bibliografía formal me pareció interesante hacer una selección de libros que han influido directa e indirectamente en mí para escribir *Crecimiento personal a la mexicana*.

Los clasifique de la siguiente forma:

1. Libros de principios teóricos, filosóficos, psicoterapia y divulgación científica.
2. Libros de crecimiento personal o autoayuda
3. Relatos, cuentos y novelas.

Espero que los disfrutes.

Libros de principios teóricos, filosóficos, psicoterapia y divulgación científica

Buber, Martin, *Yo y tú*, Ediciones Nueva Visión.

Castaneda, Carlos, *Las enseñanzas de don Juan*, Fondo de Cultura Económica.

Cooper, J. C., *Ying y Yang*, EDAF.

David-Neel, Alexandra, *El budismo de Buda*, Ediciones La Llave.

Egan, Gerard, *El orientador experto*, Grupo Editorial Iberoamérica.

Grinder, John y Richard Bandler, *De sapos a príncipes*, Editorial Cuatro Vientos.

Hellinger, Bert, *Órdenes del amor*, Herder Editorial.

Huneeus, Francisco, *Lenguaje, enfermedad y pensamiento*, Editorial Cuatro Vientos.

Koop, Sheldon B., *Guru: Metaphors from a Psychotherapist*, Science and Behavior Books.

Lown, Alexander, *Miedo a la vida*, Errepar.

Meinvielle, Julio, *La cosmovisión de Tehilar de Chardain*, Editorial Cruzada.

Mounier, Emmanuel, *Manifiesto al servicio del personalismo*, Taurus.

Perls, Fritz, *Yo, hambre y agresión*, Fondo de Cultura Económica.

Reich, Wilhelm, *La función del orgasmo*, Editorial Paidós.

Sagan, Carl, *Los dragones del edén*, Crítica.

Stevens, John O., *El darse cuenta*, Editorial Cuatro Vientos.

Watts, Alan, *La sabiduría de la inseguridad*, Editorial Kairós.

Watzlawick, Paul y otros, *Cambio. Formación y solución de los problemas humanos*, Herder Editorial.

Zinder, Joseph, *El proceso creativo en la terapia Gestáltica*, Editorial Paidós.

Libros de crecimiento personal o autoayuda

Arau, Cuauhtli, *Onto Creatividad*, Quanta Editores.

Bloomfield, Harold y Peter McWilliams, *Cómo curar la depresión*, Ediciones Obelisco.

Bucay, Jorge, *Hojas de ruta*, Océano.

Chang, Jolan, *El Tao del amor y el sexo*, Plaza & Janés Editores.

Chávez, Martha Alicia, *Tu hijo, tu espejo*, Grijalbo.

Chopra, Deepak, *Energía sin límites*, Ediciones B.

Chopra, Deepak, *Las siete leyes espirituales del éxito*, EDAF.

Goleman, Daniel, *Emociones destructivas*, Vergara.

_____, *Inteligencia emocional*, Vergara.

González Vera, Rubén, *La revolución de la pareja: el nacimiento de una nueva profesión*, Editorial Mina Estrella.

Holden, Robert, *La risa, la mejor medicina*, Ediciones Oniro.

Jodorowsky, Alejandro, *La sabiduría de los chistes*, Grijalbo Mondadori.

_____, *Psicomagia*, Grijalbo Mondadori.

Kelly, Matthew, *Los siete niveles de la intimidad*, Editorial El Ateneo.

McCluggage, Denise, *El esquiador centrado*, Editorial Cuatro Vientos.

Myss, Caroline, *El poder invisible en acción*, Vergara.

Sartori, Giovanni, *Hommo videns*, Taurus.

Stevens, Barry, *No empujes el río*, Editorial Cuatro Vientos.

Relatos, cuentos y novelas

Andahazi, Federico, *El anatomista*, Booket.

_____, *El conquistador*, Planeta.

Bach, Richard, *Ilusiones*, Vergara.

_____, *Juan Salvador Gaviota*, Vergara.

Chopra, Deepak, *Buda*, Suma de letras.

Coelho, Paulo, *El Zahir*, Grijalbo Mondadori.

Fischer, Robert, *El caballero de la armadura oxidada*, Ediciones Obelisco.

García Márquez, Gabriel, *Vivir para contarla*, Diana.

Golden, Arthur, *Memorias de una Geisha*, Suma de letras.

Grass, Gunter, *El tambor de hojalata*, Alfaguara.

Hesse, Hermann, *Siddhartha*, Colofón.

Katzenbach, John, *El psicoanalista*, Ediciones B.

Kundera, Milan, *La insoportable levedad del ser*, Tusquets Editores.

Muñoz Avia, Rodrigo, *Psiquiatras, psicólogos y otros enfermos*, Alfaguara.

Serna, Enrique, *El orgasmógrafo*, Plaza & Janés.

—————, *Fruta verde*, Planeta.

Sheldon, Sidney, *Cuéntame tus sueños*, Emecé Editores.

—————, *La novela de mi vida*, Emecé Editores.

Toole, John Kennedy, *La conjura de los necios*, Editorial Anagrama.

Velasco, Xavier, *Diablo guardián*, Alfaguara.